睦月影郎

美人母娘の蜜室

実業之日本社

実業之日本社文庫

目次

第一話　昭和から来た二人

1

「じゃ私のお部屋に来る？　パソコンがあった方が分かりやすいので」

江利香（えりか）が文夫（ふみお）に言い、リビングのソファから腰を浮かせると、彼は妖しい期待に股間が熱くなってしまった。

（今日こそ彼女の部屋に入れるんだ……）

文夫はノートや参考書を抱えると、胸を高鳴らせて廊下の先を行く江利香に従った。

仙場（せんば）文夫は二十歳の大学二年生。ここ品川区にある田代（たしろ）荘というアパート住まいだが、裏に大家の屋敷があり、田代江利香はその一人娘だった。

江利香は二級上で、同じ大学に通う国文科の四年生である。

シャイで彼女も出来ないでいる文夫は、この二歳上のお姉さんに憧れを寄せ、何かと懇ろになりたいと願いつつ、彼女の方は完全に文夫を弟扱いで何の進展もなかった。

それでも、江利香はこうして母屋に彼を招き、レポートの手伝いなどしてくれていた。もう江利香は卒論も終えて教員の就職も決まり、あとは卒業を待つ気楽な時期なのだ。

しかも彼女の両親も、父親が定年になった記念に、夫婦で船旅に出てしまい、半月ばかり帰ってこないのである。

だから何かと文夫は大家の家に出入りし、江利香も彼を頼りにしてくれていた。もっとも色白でスポーツの苦手な文夫など、何かあっても用心棒の役に立たないだろうが。

アパートの他の住人は独身サラリーマンが多く、寝に帰ってくるだけのようだ。

いつも勉強を見てくれるときはリビングのソファだが、今日はパソコンがあると便利なので、彼は初めて江利香の部屋に招かれたのである。

屋敷は古い平屋だが広く、もう築百年近くなるらしい。

代々官僚の名家で、それでも今は大部分が改築され、窓はサッシに、バストイレも近代的になっていた。

と、廊下を進む江利香が、横の仏間を見てヒッと息を呑んで立ちすくんだ。

「どうしました？」

文夫も驚き、彼女のそばに行って一緒に仏間の中を見た。そこには立派な仏壇があり、先祖代々の位牌が並んでいる。

その仏間に、二人の女性が立って周囲を見まわしているではないか。

四十歳前後の美女は髪をアップにして地味なブラウスにロングスカート、顔立ちが似ているので娘らしい少女は髪をお下げに結い、やはり野暮ったいブラウスで柄物のズボン、いや、それは映画で観たことのある、モンペというものではないだろうか。

「だ、誰……？」

謎の母娘が、文夫と江利香を見て言う。

「そっちこそ、誰なんです？　私はここの娘ですが、どこから入ったんですか」

江利香が警戒しながら気丈に言ったが、母娘に害意はなさそうなので、すぐにも通報という様子は見せなかった。

「私たちも、ここの家のものですが、どうも様子が変なんです……」

母親の方が戸惑いながら、力尽きたように畳に座ると、少女も混乱した顔つきで並んで座った。

「事情をお話し下さい」

江利香も座ると、彼女の部屋に行くつもりだった文夫も急に興奮が覚め、一緒に腰を下ろした。

「夫の祥月命日なので、娘と一緒にお線香を上げていたら、急に目眩(めまい)を起こし、気がついたら、位牌が増えているし窓の様子も変わっていて……」

母親は、まだ室内を見て言い、やがて腰を浮かせて一つの位牌を手に取った。

「これが夫です。海軍中佐、田代源太(げんた)」

母親が言い、江利香が手に取って見ると文夫も覗き込んだが、確かに戒名に源の字は入っているが、命日が昭和十六年十二月八日となっているではないか。

「し、真珠湾で戦死……?」

「そうです。もう二年近く前になりますが」

「二年近くって、ではあなた方は昭和十八年から……?」

江利香が目を丸くして言い、文夫も見ると確かに二人の服装もその時代っぽいではないか。しかも母娘の深刻な表情から、ドッキリなどではないと文夫も確信していた。

それに母娘も、どことなく江利香に似た目鼻立ちなのである。

「そうですよ。昭和十八年、皇紀二六〇三年です」

母親が、当然のように答えた。

「とにかく、夫の位牌がある以上ここは私たちの家ですが、どうもあなたも似たような顔立ちで、もしかして身内では？」

母親が言うので、江利香はチラと文夫を見てから母娘に向き直った。

「私は田代江利香です」

「ああ、やっぱり、私は田代芙美子（ふみこ）、これは一人娘の理恵（りえ）です」

江利香と母娘が名乗り合ったので、文夫もモジモジと言った。

「僕は、隣のアパートに住んでいる仙場文夫です」

頭を下げて言うと、美少女の理恵が彼より江利香を見つめて口を開いた。

「エリカって、異人のような名ですね。どんな字を？」

理恵が言うので、江利香もすぐ文夫のノートを開き、白紙のページを一枚破って彼のペンで名を書いた。

文夫も横に署名して差し出すと、それを見た母娘も、それぞれ自分の名を漢字で書いて見せた。

そして江利香は、嘆息して意を決したように言った。

「どうやら、お二人は時間を超えてこの時代に紛れ込んだようです。私もまだ信じられないけど、ここは昭和十八年ではありません」

「え……？　どういうことです……」

芙美子が聞き返すと、江利香はまたチラと文夫を見てから向き直って答えた。

「ショックかも知れませんが、ここはあなた方の時代より、八十年も未来の世界なのですよ……」

江利香は、文夫が思っていた通りのことを口にした。

してみると、この母娘は江利香の先祖であり、この二人の位牌もそこに並んでいるのだろう。

「は、八十年先ですって……？」

芙美子が言い、また目眩を起こしそうな表情になり、理恵もまだ頭が追いついていかずに目を丸くしていた。

「そんなこと、信じられません。では今は昭和九十八年なのですか」

「元号は変わっています。とにかくお茶を淹れますから落ち着きましょう。こちらへ」

江利香が言って立ったが、こちらへと言われても、ここは自分の家だという風に母娘は足早に仏間を出た。

　文夫も、慌てて三人に従った。

「まあ、この窓はなんて頑丈そうな……、これが台所ですか。これは一体……」

廊下を進みながら、母娘はいちいち見えるものに驚き、やがて江利香がリビングのソファをすすめた。

「ここは茶の間だったはずですが、こんなに広く明るく……」

芙美子は壁から天井まで見回して言い、理恵は大型テレビに目を向けた。

「これはまさか、異国と通信する機械？　あなた方はスパイじゃないでしょうね」

　理恵が、江利香に似た濃い眉を険しくさせて言う。

「違います。今の日本はどこことも戦争してませんから。じゃ文夫君、私はお茶を淹れてくるので」

江利香が言い、彼にテレビのリモコンを渡すとキッチンへ行ってしまった。

2

「これはテレビです。色んな番組が観られるので」

文夫が言ってスイッチを入れると、

「ひい……！」

映し出された画面に、母娘が悲鳴を上げて抱き合った。

文夫はチャンネルを変えてゆき、国会中継からワイドショー、時代劇の再放送などを見せてやった。

「こ、これは……」

「ええ、侍たちは役者がお芝居してるだけです。あとは色んなニュースとかを分かりやすく解説してます」

「映画なら観ましたが、こんなに綺麗な色なんて付いてないです……」

理恵が息を呑んで言った。

「へえ、どんな映画を観ました？」

「ハワイ・マレー沖海戦、原節子が出ていました」

「そう、僕も見た。ＤＶＤ、いや、いいか」

とても理解がついてゆけないだろうからと言うのを止(よ)し、文夫はテレビを消した。スパイの機械でないことが分かれば良いだろう。

すると湯が沸いた頃合いを見計らい、芙美子も立ってキッチンに行った。

恐らく冷蔵庫やレンジなどを見て、芙美子は驚いていることだろう。

やがて盆に茶碗と急須、クッキーなどを載せ、二人が戻ってきた。芙美子の頬は興奮に紅潮していた。

理恵が恐る恐るクッキーを食べ、美味しかったように笑窪(えくぼ)を見せた。そして芙美子も、茶を飲んで少し落ち着いたようだった。

「何となく分かってきました。ここは私たちの家だけれど、遥か先の時代なのですね」

「そうです」

「どうすれば昭和十八年に戻れるでしょう」

芙美子が言い、理恵も顔を上げた。戦争中で、これからもっと大変な時代になるのだがやはり自分の時代に戻りたいのだろう。

「分かりませんが、仏間で移動したのなら、そこにお二人の布団を敷くので、戻れるまでここで暮らして下さい」

「家の人は、良いのですか」

「親が旅行中なので、私一人ですから構いません。赤の他人ではないのだし」

江利香が言うと、ようやく母娘も少し安心したようだ。

芙美子は四十歳、理恵は十九と言うことだが、どうも聞いていると数え年のようで、実際はそれより一歳下、芙美子は明治、理恵は大正末年の生まれのようだった。

そして計算してみると、どうも理恵は、江利香の曾祖母らしい。

理恵は女学校を出てから、発足したばかりの女子勤労挺身隊に入って工場へ通い、芙美子は理恵の出た女学校の国語教師だった。

「理恵ちゃん、あとで私の服を貸すので一緒に食材と服を買いにいきましょう」

「ええ……」

「文夫君、用を言いつけてもいい？　お風呂に湯を張って、客間の布団を仏間へ」

「うん、分かった」

彼が答え、やがて茶を飲み終えると江利香は理恵を自分の部屋に招いて着替えさせた。

ブラウスや下着、モンペなどは洗濯機に入れ、やがて戻ってくると理恵は清楚なブラウスにジーンズ、カーディガンを着てブルゾンを手にしていた。

「まあ、そんな格好したら婦人会から吊し上げられるわ……」

芙美子が眉をひそめて言うが、何とか江利香が説明して宥めた。

そして江利香と理恵は外に出てゆき、残った文夫はバスルームに行き、バスタブに栓をしてボタンを押した。

「薪割りはしないで良いのですか」

芙美子が、物珍しげに付いてきて言う。

「ええ、ボタンを押すだけです。ほら、もうお湯が」

彼が言うと、すぐにも湯が溜まりはじめていった。

「まあ……」

芙美子が息を呑み、みるみる溜まっていく湯を見つめた。

そして彼が客間の押し入れから二組の布団を出し、仏間に運んでいると芙美子が手伝ってくれた。しかも江利香が出がけに、シーツや枕カバーなども揃えておいてくれたのだ。

「色白で力がなさそうね」

「済みません……」

文夫は答えたが、あの頃の軍国青年と比べられたら堪(たま)らない。

それより近づくと、芙美子から漂う生ぬるく濃厚に甘ったるい匂いに股間が疼いてきてしまった。

やがて仏間に布団を並べて敷き、シーツや枕カバーも整えると、芙美子が座って彼を見つめた。

「あなたは、この家の書生? それとも江利香さんの許婚(いいなずけ)?」

「と、とんでもない。僕は田代家が経営する隣のアパートの、そう、店子(たなこ)に過ぎません」

「そう……、でも江利香さんのことが好きみたいね。何となくだけど」

「わ、分かりますか……、でもまだ何もしてないし、江利香さんは僕を弟みたいに思ってるだけみたいだから……」

「そんなことないわ。ずいぶん頼りにしているようだし、でも」

「でも、何でしょう」

「男は自分から思いきって行動しないといけないわね。引っ込み思案なんて、男の売り物にはならないわ」

芙美子が、しっかりと彼の目を見つめて言う。

戦死した軍人の妻で、女学校の教師という貫禄と同時に、目の奥に抑え付けている欲望が感じられた気がした。

確かに、女盛りなのに大変な時代で、後家として気を張ってきたのだろう。

「じゃ思いきって言います。芙美子さんが、手ほどきしてくれないでしょうか」

文夫は、目がくらむような緊張と興奮の中でいってしまっていた。

「え……？」

「うわ、冗談です。忘れて下さいね」

慌てて言ったが、芙美子は彼から目をそらさなかった。

「まだ無垢(むく)なのですね？」

「え、ええ、二十歳にもなってみっともないけど、まだ何も……」

と、そのときバスルームから、

「お風呂が沸きました」

とアナウンスがあると、また芙美子はヒッと息を呑んで彼に縋(すが)り付いてきた。

「あ、お湯が沸いた報せですから、誰かが来たわけじゃありません」

言うと、芙美子は濃厚な匂いを揺らめかせて身を離し、あらためて彼を見て答えた。

「わかりました、いいですよ。私も真面目で大人しい子は好きです。ではお湯も溜まったでしょうから急いで流してきますね」

「あ、どうかそのままで、ナマの女性の匂いを知りたい憧れが強いので……」

腰を浮かせる芙美子を、文夫は慌てて押しとどめた。

「まあ、ずいぶん動き回ったし汗をかいているけど……」

「構いません、どうか今のままで」

ピンピンに勃起しながら懇願すると、芙美子も欲求が抑えられなくなったように小さく頷き、服を脱ぎはじめてくれた。

やはり異常な状況の中、夢でも見ているように現実感がなく、それで彼女もすぐ応じてくれたのかも知れない。

文夫も緊張と興奮に指を震わせながら服を脱いでゆき、

（とうとう初体験を、しかも江利香さんのご先祖で、戦時中から来た明治生まれの、とびきりの美女と……）

風俗体験どころかファーストキスもしていない彼は感激に胸を膨らませた。

しかし、夫やご先祖の位牌、しかも芙美子自身の位牌もある部屋でして良いものだろうかと心配になったが、ためらいなく彼女は白い熟れ肌を露わにし、さらに濃厚に甘ったるい匂いを漂わせた。

シュミーズやズロースというのか、見たことのない下着を脱ぎ去り、とうとう芙美子は一糸まとわぬ姿になってしまった。

3

「じゃ好きにしてみなさい」

敷いたばかりの布団に横たわった芙美子が教師の口調で言い、文夫も四十歳を目前にした肌に身を寄せていった。

着瘦せするたちなのか、意外なほど巨乳で、肌は透けるように白かった。

文夫は甘えるように腕枕してもらうと、目の前で息づく豊かな乳房に、そろそろと指を這わせていった。

膨らみは柔らかく、乳首もツンと突き立っていた。しかし、それ以上に文夫を感激させたのは、芙美子の色っぽい腋毛だった。

生ぬるく湿った腋毛に鼻を埋めて擦り付けると、何やら恥毛のような感触が伝わって、隅々に籠もるミルクのように甘ったるい汗の匂いが悩ましく鼻腔を掻き回してきた。

文夫は胸を満たしながら乳首を指で弄び、やがて移動してチュッと吸い付いていった。

「アア……」

芙美子が熱く喘ぎ、クネクネと熟れ肌を悶えさせはじめた。

文夫も舌で転がしながら、顔中で巨乳の感触を味わった。もう片方も含んで舐め回し、まだ嗅いでない方の腋の下にも鼻を埋めて濃い体臭に噎せ返った。

そして白く滑らかな肌を舐め降り、臍を舌で探り、下腹に顔を押し付けて弾力を味わった。しかし股間は最後の楽しみに取っておき、腰から脚を舐め降りていった。

やはり、せっかく美熟女が身を投げ出しているのだから、隅々まで女体を探検したかったし、まだ江利香たちも当分は帰ってこないだろう。

脚を舐めると、脛にはまばらな体毛があり野趣溢れる魅力が感じられた。やはり昭和というばかりでなく、非常時なのだからケアなどするはずもないのだ。

脛を舐め降りて足首まで行くと、彼は足裏に回り込んで踵や土踏まずを舐め、形良く揃った指の間に鼻を押し付けて嗅いだ。

そこは汗と脂にジットリ湿り、蒸れた匂いが生ぬるく濃厚に沁み付いて鼻腔が刺激された。

（ああ、美女の足の匂い……）

文夫はゾクゾクと興奮を高めて思い、爪先にしゃぶり付いて指の股にもヌルッと舌を割り込ませてしまった。

「あう、ダメ、何するの……！」

芙美子が驚いたようにビクッと反応し、教師が叱るように声を洩らした。

しかししゃぶり続けると、

「アア……」

芙美子も喘ぎ、力が抜けたように身を投げ出してくれた。文夫は両足とも味と匂いを貪り尽くし、ようやく大股開きにさせて脚の内側を舐め上げていった。

白くムッチリした内腿をたどって、熱気と湿り気の籠もる股間に迫ると、

「ああ、早く入れなさい……」

芙美子が腰をくねらせて言った。

「まだ、見てみたいから」

「そんなところ見るものじゃないわ、あう」

彼の熱い視線と息を股間に感じ、芙美子がビクリと硬直した。

見ると、ふっくらした丘には黒々と艶のある茂みが密集し、割れ目からはみ出す陰唇はヌラヌラと愛液に潤っているではないか。

そっと指を当てて左右に広げると中も大量のヌメリにまみれたピンクの柔肉、かつて理恵が生まれ出てきた膣口も、襞（ひだ）を入り組ませて妖しく息づいていた。

ポツンとした小さな尿道口の小穴も確認でき、包皮の下からは小指の先ほどのクリトリスが、ツンと突き立って真珠色の光沢を放っていた。

とうとう女体の神秘の部分に辿り着いたのだ。もう堪らず、彼は吸い寄せられるように顔を埋め込んでいった。

「あう、ダメよ、そんなこと……！」

芙美子はまた咎めるように言ったが、拒むようなことはなかった。

彼が柔らかな茂みに鼻を擦りつけて嗅ぐと、隅々には蒸れた汗とオシッコの匂いが悩ましく籠もり、鼻腔を掻き回してきた。

（ああ、女の匂い……）

文夫は興奮に包まれながら胸を満たし、舌を挿し入れていった。

ヌメリは淡い酸味を含み、膣口の襞を掻き回すと、すぐにもヌラヌラと舌の動きが滑らかになった。

柔肉をたどり、クリトリスまで舐め上げていくと、

「アアッ……！」

芙美子がビクッと顔を仰け反らせて喘ぎ、内腿でキュッときつく彼の両頬を挟み付けてきた。文夫も豊満な腰を抱え込んで押さえ、チロチロとクリトリスを舐めては、新たに溢れる愛液をすすった。

そして味と匂いを堪能すると、さらに芙美子の両脚を浮かせ、豊満な逆ハート型の尻に迫っていった。

谷間にひっそり閉じられたピンクの蕾は何とも可憐で、鼻を埋め込むと顔中に弾力ある双丘が心地よく密着した。

蒸れた匂いが鼻腔を刺激し、彼は舌を這わせて息づく襞を濡らし、ヌルッと潜り込ませて滑らかな粘膜を探った。

「く……、何してるの……！」

芙美子が言ったが、朦朧(もうろう)として何をされているかも分からないようで、それでもモグモグと肛門で舌先をきつく締め付けてきた。

充分に舌を蠢(うごめ)かせてから脚を下ろし、文夫は再び割れ目に戻ってヌメリを舐め取り、クリトリスに吸い付いていった。

「も、もうダメ……」

芙美子が絶頂を迫らせたように息を詰めて言い、身を起こして彼の顔を股間から追い出しにかかった。

ようやく文夫も顔を離して添い寝していくと、芙美子が屹立した肉棒に目を留め、やんわりと握ってきた。

「ああ……」

今度は文夫が身を投げ出して喘ぐ番だ。

しかも芙美子は、ニギニギと愛撫しながら顔を寄せ、粘液の滲む尿道口をチロリと舐めてくれたのだ。

「あう……」

当時も、亡夫にしていたのだろう。彼女は張り詰めた亀頭にもしゃぶり付き、そのままスッポリと喉の奥まで呑み込んできた。

薄寒い仏間で、快感の中心部のみが温かく濡れた快適な口腔に包まれた。

「ンン……」

芙美子は熱い息で恥毛をそよがせ、幹を締め付けて吸い、口の中ではクチュクチュと舌をからめてくれた。

「い、いきそう……」

急激に絶頂を迫らせた文夫が口走ると、すぐに芙美子はスポンと口を引き離し、顔を上げた。

「入れて……」

「どうか、上から跨（また）いで入れて下さい……」

彼が答えると、

「茶臼（ちゃうす）（女上位）なんて初めてだわ……」

芙美子は言いながらも身を起こして前進し、彼の股間に跨がってきた。そして唾液に濡れた先端に割れ目を擦り付け、位置を定めると息を詰め、若いペニスを味わうようにゆっくりと腰を沈み込ませていった。

たちまち彼自信は、ヌルヌルッと滑らかに根元まで膣口に吸い込まれた。

肉襞の摩擦と温もり、締め付けと潤いが何とも心地よく、やはり初体験を長く味わいたいので、文夫は必死に奥歯を嚙み締め、肛門を引き締めて暴発を堪(こら)えたのだった。

4

「アァッ……、いい、奥まで感じるわ……」

完全に座り込み、互いの股間をピッタリ密着させると芙美子は顔を仰け反らせて喘いだ。

そしてグリグリと股間を擦り付けて巨乳を揺すると、ゆっくり身を重ねてきた。

文夫も懸命に堪えながら下から両手を回して抱き留め、無意識に両膝を立てて豊満な尻を支えた。

まだ動かなくても、膣内の息づくような収縮が伝わり、溢れる愛液が陰嚢の脇を伝い流れ、肛門の方まで温かく濡らしてきた。

すると芙美子は上から顔を寄せ、ピッタリと唇を重ねてきたのだ。

文夫のファーストキスは、互いの全てを舐め合った最後に体験できた。

柔らかな唇が密着し、唾液の湿り気が伝わった。

熱い鼻息が彼の鼻腔を湿らせ、やがて芙美子の舌がヌルリと侵入してきた。彼も歯を開いて受け入れ、舌をからめると、それはヌラヌラと滑らかに蠢き、温かな唾液が流れ込んできた。

やがて快感に任せ、文夫が無意識にズンズンと股間を突き上げはじめると、

「アアッ……、いい……！」

芙美子が口を離し、淫らに唾液の糸を引きながら熱く喘いだ。

湿り気ある美熟女の吐息は、白粉（おしろい）のような甘い刺激を濃厚に含んで彼の鼻腔を掻き回した。

文夫がうっとりと嗅ぎながら突き上げを強めると、芙美子も合わせて腰を動かし、たちまち互いの動きがリズミカルに一致した。ピチャクチャと淫らに湿った摩擦音が響き、膣内の収縮と潤いが増していった。

「い、いく……！」

ひとたまりもなく彼は口走り、大きな絶頂の快感に全身を貫かれてしまった。

同時に、熱い大量のザーメンがドクンドクンと勢いよくほとばしると、

「あ、熱いわ、いく、アアーッ……！」

噴出を感じた芙美子も声を上げ、ガクガクと狂おしいオルガスムスの痙攣を開

始したのだった。

大人の凄まじい絶頂に圧倒されながら、文夫は心ゆくまで快感を嚙み締め、最後の一滴まで出し尽くしていった。

「ああ……」

彼は声を洩らし、満足して突き上げを止めていった。まさか初体験を、人の家の仏間でするなど夢にも思わなかったものだ。

「アア、こんなに良かったの初めて……」

芙美子も満足げに声を洩らし、熟れ肌の強ばりを解いてグッタリともたれかかってきた。やはり軍人の夫は、もっと淡泊に終えるものだったのかも知れない。

互いの動きが止まっても、まだ膣内は名残惜しげな収縮がキュッキュッと繰り返され、刺激された幹が内部でヒクヒクと過敏に跳ね上がった。

「あう、もう暴れないで……」

芙美子もすっかり敏感になっているように呻き、幹の震えを押さえるようにキュッときつく締め上げた。

文夫は美熟女の重みと温もりを受け止め、熱く濃厚に甘い白粉臭の吐息を間近に嗅ぎながら、うっとりと快感の余韻に浸り込んでいったのだった。

重なったまま互いに熱い息を混じらせていたが、ようやく呼吸を整えると芙美子が身を起こし、そろそろと股間を引き離した。

表情に後悔の様子もないので安心し、文夫も身を起こし、仏間の隅にあったティッシュの箱を手にした。

「どうぞ」

「まあ、なんて柔らかなチリ紙……」

渡すと彼女は驚きながら割れ目を拭い、彼もペニスを拭いた。

すると、そのとき彼の脱いだ服にあるスマホが着信音を鳴らした。また芙美子がビクッと身をすくめると、彼はスマホを取り出して江利香からと確認すると電話に出た。

「買い物したけど、理恵ちゃんが珍しがって散歩もするので、少し遅くなるわ。あと四十分ぐらいで戻れると思うけど」

「うん、分かった」

「芙美子さんは落ち着いている？」

「ああ、大丈夫です」

まさか、エッチを終えたばかりだなどと言うわけにもいかない。

「戦争に負けたとか、訊かれない限り言わない方がいいわ」

「そうだね、じゃまたあとで」

文夫は電話を切り、スマホをしまった。

「そ、それは、電探のようなものですか」

芙美子が訊く。電探は海軍用語である。

「え？　ああ、電波探知機なんかじゃなく、単なる無線の携帯電話です」

「無線電話を民間人が……？」

「とにかく、お風呂に入りましょう」

文夫が言って立ち上がると、芙美子も脱いだものを抱えて仏間を出た。

バスルームに入ると適温の湯が溜まり、文夫は棚にあった温泉の入浴剤を入れて掻き回した。

「それはバスクリンですか」

「ああ、バスクリンをご存じですか。そんなものです」

彼は答え、あとで調べると津村順天堂のバスクリンは昭和五年に発売されており、この屋敷に住む田代家も裕福だったのだろう。

シャワーの湯を出し、文夫はざっとペニスだけ洗ってから芙美子を椅子に座らせ、体に浴びせてやり、ボディソープをスポンジに含ませて、甲斐甲斐しく背中を擦ってやった。

スポンジでなくアカスリを使っても、それほど垢は出ないので、日頃から清潔にしていたのだろう。終戦直後の混乱と貧困に比べれば、まだ昭和十八年は勢いがあり、多少の節約はあっても、人々の暮らしはごく普通だったようだ。

「ああ、いい気持ち……」

芙美子はうっとりと言い、彼は脇腹から腰、脚の指の間まで丁寧に洗ってやったが、体の前や股間は彼女が自分で洗った。

濃厚だった体臭が消えてしまうのは残念だが、シャワーの湯でシャボンを洗い流すと、湯を弾くほど脂の乗った熟れ肌を見ているうち、彼自身はムクムクと回復してしまった。

何しろ日に二度三度とオナニーして抜かなければ落ち着かないほど、性欲だけは強いのだ。まして全裸の美女がいるのだから、勃起は仕方のないことである。

洗い終えると彼女が向き直り、

「まあ、もうこんなに……」

彼の勃起を見て芙美子が息を呑んだ。

「え、ええ、もう一度出さないと落ち着かないので……」

彼が恐る恐る言うと、

「私はもう沢山。もう一回したら動けなくなりそうだから……」

芙美子は答えながらも、ペニスに指を這わせて愛撫してくれた。

文夫もバスタブのふちに座り、彼女の前で股を開いた。

すると彼女も両手で幹を挟んで錐揉みにしてくれたり、巨乳の谷間で揉んでくれたのである。

「ああ、気持ちいい……」

文夫がうっとりと喘ぎ、幹を震わせると、芙美子はまた先端にチロチロと舌を這わせ、スッポリと含んでくれたのだった。

5

「あう、いきそう……」

芙美子の濡れた口でスポスポと摩擦され、股間に熱い息を受けるうち、文夫は急激に絶頂を迫らせて喘いだ。

しかし彼女は強烈な愛撫を一向に止めようとしないのだ。

いけないと思いつつ、彼は大きな快感に包まれてしまった。

まるで美熟女のかぐわしい口に全身が含まれ、温かな唾液にまみれ舌で転がされているようだ。

たちまち限界が来てしまい、

「い、いく……、アアッ……！」

突き上がる絶頂の快感に口走ると、美女の口を汚すという禁断の快感も加わり彼はドクンドクンとありったけの熱いザーメンを勢いよくほとばしらせた。

「ク……、ンン……」

喉の奥を直撃され、芙美子は小さく呻き僅かに眉をひそめたが、なおも摩擦と吸引、舌の蠢きは続行してくれた。

「ああ……」

文夫は腰をよじりながら喘ぎ、快感に身を奮わせて最後の一滴まで出し尽くしてしまったのだった。

文夫が全身の強ばりを解くと、ようやく芙美子も摩擦を止め、亀頭を含んだまま口に溜まったザーメンをゴクリと一息に飲み込んでくれたのだ。

「あう」
喉が鳴ると同時に口腔がキュッと締まり、彼は駄目押しの快感に呻いた。
なおも彼女は余りを絞るように指で幹をしごき、尿道口に脹らむ白濁の雫まで
チロチロと舐め取ってくれた。
「く……、も、もういいです……」
文夫は降参するように腰をくねらせ、過敏に幹をヒクつかせながら言った。芙
美子も舌と指を離してくれ、
「二度目なのにいっぱい出たわ。若いから濃いのね」
彼を見上げて言い、淫らにチロリと舌なめずりした。
またすぐにも回復しそうになるのを堪え、彼はバスタブから降りてシャワーを
浴びた。やがて交互に二人で湯に浸かってからバスルームを出ると、互いに身体
を拭いた。
「脱いだものを、また着て下さいね。江利香さんが戻れば、新品を買ってきてく
ると思うので」
言うと芙美子は再び過去の服を着て、彼も身繕いをした。
そして仏間の乱れたシーツを直してからリビングで休憩していると、間もなく

江利香と理恵が帰ってきた。

「お母さん、すごいビルが並んで、人も車もいっぱいだったわ」

理恵が、興奮冷めやらぬ様子で町の様子を報告した。

江利香はまた茶を入れ、食材を置いてから買ってきた母娘の服を出した。

「合うと思うけど、あとでお風呂上がりに着てみて下さいね」

すでに湯上がりというのも気づかずに江利香が言い、芙美子も自分の服や下着を目を丸くして見ていた。

「こんなに綺麗な服、着ても大丈夫かしら。それに散財させてしまって……」

「お気になさらずに、同じ家のものなのですから」

江利香が答え、やがて茶を飲むと彼女は母娘をバスルームに案内し、脱いだものは洗濯機に入れるよう、あれこれ指示していた。

そして母娘がお風呂に入ると江利香が戻り、文夫に言った。

「夜までいてくれる？」

「うん、もちろん」

彼は答えた。気丈な江利香でも、さすがに非日常の事態で心細いのだろう。

それに明日から土日で連休なので、いくらでもこの異変に付き合えるのだ。

「パソコン借りていい？」

「ええ、でもレポートするの？」

「いや、それは明日でもいいので、まず昭和十八年のことを調べておきたい」

「そうね、それは私も知っておきたいわ」

言うと、江利香もすぐに立って、今度こそ彼を奥の自室に招き入れてくれた。

彼女の部屋は六畳ほどの洋間で、奥の窓際にベッド、手前に机と本棚があるだけだ。そして室内には、生ぬるく甘い匂いが立ち籠めている。

江利香はすぐに、机にあるノートパソコンを起動してくれ、文夫も椅子を借りて検索を開始した。

まず真珠湾だが、さすがに奇襲だけあり日本海軍の死傷者は少なかった。

まず佐官級の戦死者はいないようだから、あるいは芙美子の夫は尉官で参加し、戦死で階級が特進したのだろう。

そして昭和十八年は、四月に山本五十六が戦死し、翌々月には国葬となっている。

英語の排斥と、空襲の混乱に備えて上野動物園の猛獣たちが薬殺されたというので、戦況も悪化の一途をたどりはじめている時期だった。

「女学校も旧制中学も、当時は五年制なのね。それで理恵ちゃんも五年で卒業して働きに」

江利香も彼の肩越しにモニターを見て言うので、花粉のように甘い刺激を含んだ吐息が感じられ、また文夫は激しく勃起してきてしまった。

それにしても、文夫が会ったばかりの芙美子に初体験の手ほどきを受けたなどと知ったら、江利香はどんな顔をすることだろうか。

「理恵ちゃんの様子はどうだった？」

当時のトピックスなどをスクロールしながら訊いてみると、江利香もモニターを覗き、彼の背に胸の膨らみを触れさせて答えた。

「驚きの連続だったわ。もしかして日本の繁栄を、戦争に勝った結果と思い込んだかも知れない」

「そう……、でも、いずれは話さないとならないね。いつまでこの時代にいるか分からないけど」

「ええ、でも来られたのだから、何かの切っ掛けで戻れると思うわ。それが幸か不幸か分からないけど、歴史は変えられないでしょうから」

江利香が甘い吐息で答えた。

もちろん旅先の両親にメールすることも控えたようだ。せっかく楽しんでいるところを煩わせたくないし、すぐ戻れるわけでもないのだろうから。

やがて二人は、あらかた戦前の知識を詰め込んでからノートパソコンを切ってリビングに戻った。

そして江利香は夕食の仕度を始めた。飯だけ炊いて、あとは面倒のない総菜や冷凍物を温めるだけのようだ。

やがて母娘も風呂から出たようだ。

理恵は江利香に借りたものが気に入ったようで、そのままの格好をし、芙美子は清楚なワンピース姿だ。

「ブラやショーツは体に合ったかしら」

「ええ……、すぐ慣れると思います」

江利香が訊くと、芙美子も多少の違和感を覚えていそうだが笑みを浮かべて答えた。

やがて日が暮れて、芙美子も手伝って夕食の仕度が調った。

ビールの大瓶を一本だけ開け、理恵を除く三人で飲み、料理を摘んだが、母娘ともこの時代の食事を旨そうに食べはじめたので、江利香も文夫も安心したのだった。

第二話　憧れのお姉さんと

1

「二人ともぐっすり寝たようだわ」

仏間の様子を見にいった江利香が戻り、文夫に言った。

「そう、戦時中からタイムスリップなんて異常事態で興奮していたようだけど、さすがに疲れたんだね」

文夫も答えたが、戦時中は生活サイクルがはっきりしていて、翌朝からの仕事のため夜はしっかり寝るようになっているのだろう。

江利香の部屋である。

あのあともずっと文夫は彼女のパソコンで、芙美子と理恵の母娘が住んでいた昭和十八年の出来事を調べ、知識を得ていたのだった。

「じゃ僕はそろそろ部屋に戻ろうかな」

文夫は言ったが、何しろ江利香への慕情が募ってなかなか腰が上がらない。

昼間は美熟女の芙美子を相手に初体験をし、上と下に一回ずつ射精したのだが時間も経っているし、以前からの憧れである江利香の部屋で二人でいるのだから、どうにも胸が高鳴り、股間が熱くなっていた。

「そう、私も心細いけど、どうせ二人は朝まで起きないでしょうから。でも土日で学校もないから、また朝に来てくれるわね？」

江利香が言う。今はまだ午後八時である。

「うん、もちろん」

文夫は答え、腰を浮かせたが、そのとき芙美子に言われた、男は自分から積極的に、という言葉を思い出した。

（そう、僕はもう初体験をした大人なんだ！）

文夫は思い、椅子から立ち上がりながら傍らに立つ江利香の胸に抱きついてしまった。

もっとも初体験をしたとは言え、それは江利香のご先祖であり、この世の人ではない。

だから文夫は、現代に住む生身の女性と本当の初体験がしたかった。

「ちょっと、なに」

「ごめん、しばらくこうしていて……」

江利香が驚き、戸惑うように言ったが突き放そうとはせず、文夫もそのままブラウスの胸に顔を埋め込んだ。

繊維を通して柔らかな胸の膨らみと温もりが頬に伝わり、生ぬるく甘い匂いが感じられた。まだ江利香は入浴前である。

文夫は痛いほど股間を突っ張らせながら、江利香の匂いと温もりに包まれ、少しずつ彼女をベッドの方へと押しやっていった。

すると江利香もどさりとベッドに腰を下ろし、そっと彼の顔を胸に抱いて髪を撫でてくれたのだ。

「どうしてほしいの」

「教えて欲しい。まだ何も知らないので」

江利香が囁き、彼は顔を見られるのが恥ずかしいので顔を埋めたまま答えた。

「そう、やっぱり童貞なのね」

「江利香さんは？」

「もちろん知ってるわ。一人だけだけど、もう自然消滅して二年」

江利香が答える。あとで聞くと大学の先輩で、すでに就職で地方へ行っているので、疎遠になってそのままらしい。

もちろん文夫も、江利香が二十二歳にもなって処女とは思っていなかったが、はっきり元彼の存在を言われると嫉妬に胸が騒いだ。

「ね、脱いで……」

「待って。急いでお風呂入ってくるから」

言うと彼女が答え、では応じてくれるんだと文夫は舞い上がった。

こんなにすんなり受け入れてもらえるのなら、もっと早くに求めれば良かったと思ったが、異常事態の中だから混乱に朦朧として、彼女も支えを欲しているのかも知れない。

「このままでいいから」

「だって、お買い物して歩き回ったし……」

江利香が困ったように言う。ただでさえ、過去の世界からの来訪者たちを迎えて全身が汗ばんでいるのだろう。

「もう待てないので」

言いながら文夫が江利香のブラウスのボタンを外しはじめると、彼女も諦めたように小さく嘆息し、自分で脱ぎはじめてくれた。

彼もいったん離れ、手早く脱いで全裸になってしまった。彼は昼間、芙美子との行為のあと全身を洗い流している。

先に江利香のベッドに横になると、枕には彼女の悩ましい匂いが濃厚に沁み付き、刺激が鼻腔から胸を通じて股間に伝わってきた。

江利香も、もうためらいなく脱ぎ去ってゆき、最後の一枚を下ろすと一糸まとわぬ姿で添い寝してきた。

「ああ、嬉しい……」

文夫は感極まって密着し、甘えるように腕枕してもらった。腋の下は、芙美子のような色っぽい腋毛はないが、ジットリ湿って濃厚に甘ったるい汗の匂いが籠もっていた。

腋に鼻を埋めて嗅ぎ、胸を満たしながら形良い乳房に手を這わせると、コリコリと硬くなった乳首に触れた。

移動してチュッと含み、顔中で膨らみを味わいながら舌で転がすと、

「く……」

江利香が息を詰めて小さく呻き、ビクリと反応した。

文夫ものしかかるようにして、仰向けになった江利香の左右の乳首を交互に含んで舐め回した。

「アア、いいわ、入れて……」

江利香が熱く息を弾ませて言う。

もしかしたら、元彼はすぐ挿入して終わるタイプだったのか、それで彼女も童貞の文夫が性急に入れてすぐ終わると思い、入浴もせず許してくれたのかも知れない。

とにかく彼は、戦時中の芙美子にさえ濃厚な愛撫をしたのだから、すぐ終えるつもりはなかった。

「まだダメ、それは最後」

文夫は答え、乳首から肌を舐め降りていった。程よい範囲に煙る恥毛が見えたが、そこは後回しだ。

彼は腰から脚を舐め降りていった。スラリとした脚はどこもスベスベで、やは

り芙美子のような脛毛はなかった。

足裏にも舌を這わせ、指の間に鼻を押し付けて嗅ぐと、やはりそこは汗と脂に湿り、ムレムレの匂いが濃く沁み付いていた。

充分に嗅いでから爪先にしゃぶり付き、指の股に舌を割り込ませると、

「あう、何するの、汚いのに……」

彼女は驚いて呻き、芙美子のように咎めるように言ったが、激しく拒みはしなかった。

文夫は憧れの江利香の両足とも、味と匂いを貪り尽くした。

「うつ伏せになって」

そして顔を上げて言うと、江利香も素直にゴロリと寝返りを打ってくれた。

文夫は江利香の踵からアキレス腱、脹ら脛に汗ばんだヒカガミ、太腿から尻の丸みを舐め上げていった。

もちろん尻の谷間はあとだ。

彼が腰から滑らかな背中を舐め上げると、ブラのホック痕は汗の味がした。

「く……」

背中は感じるらしく、江利香が顔を伏せて呻いた。文夫は肩まで行って髪に鼻

を埋めて嗅ぎ、耳の裏側の湿り気も舐め回した。

そして再び背中を舐め降り、尻に戻ってきた。うつ伏せのまま股を開かせて腹這い、顔を寄せて指で谷間を広げると、可憐な薄桃色の蕾がひっそり閉じられていた。

鼻を埋め込むと、顔中に弾力ある双丘が密着し、蕾に籠もる蒸れた匂いが鼻腔を掻き回してきた。

それでも現代はシャワー付きトイレだから、戦時中の芙美子ほど生々しい匂いは籠もっていなかった。

充分に嗅いでから舌を這わせ、細かな襞を濡らしてヌルッと潜り込ませると、

「あう、ダメ、そんなとこ……」

江利香が呻き、キュッときつく肛門で締め付けてきたが、やはり力が抜けたように拒むことはしなかった。

2

「い、いや……、変な気持ち……」

文夫が中で舌を蠢かせ、滑らかな粘膜を探ると、江利香がクネクネと腰をよじらせて言った。

ようやく文夫は顔を上げ、再び彼女を仰向けにさせた。

彼は片方の脚をくぐり、ムッチリと張りのある内腿を舐め上げ、熱気と湿り気の籠もる股間に顔を迫らせた。

ふんわりと恥毛が煙り、割れ目からはみ出すピンクの花びらは、ヌラヌラと蜜を宿して潤っていた。

指を当てて左右に陰唇を広げると、襞の入り組む膣口が息づき、真珠のようなクリトリスが光沢を放ってツンと突き立っていた。

もう堪らず、彼はキュッと割れ目に顔を埋め込んでしまった。

「あう、ダメだってば、洗ってないのに……」

江利香が呻いて言うが、逆に内腿できつく彼の顔を挟み付けてきた。

文夫はもがく腰を抱え込んで押さえ、柔らかな茂みに鼻を擦りつけて嗅いだ。

隅々にはやはり蒸れた汗とオシッコの匂いが濃厚に沁み付き、悩ましく鼻腔が刺激された。

「いい匂い」

「うそ……！」

思わず言うと江利香が息を詰め、内腿に力を込めた。文夫は胸を満たしながら舌を這わせ、膣口の襞をクチュクチュ掻き回した。

やはりヌメリは淡い酸味を含み、舌の動きを滑らかにさせた。

味も匂いも芙美子に似ているのは、やはり血が繋がっているからだろうか。

柔肉を舐め上げ、クリトリスに達すると、

「アアッ……！」

江利香が顔を仰け反らせて熱く喘ぎ、ヒクヒクと白い下腹を波打たせた。

「お、お願い、入れて……！」

彼女が声を上ずらせて言う。前も後ろも舐められ、すっかり我慢できなくなっているのだろう。

「中に出していいわ。ピル飲んでるから」

さらに彼女が言うので、まだおしゃぶりもしてもらっていないが、文夫も素直に身を起こして股間を進めた。

もちろんピルは避妊のためではなく、生理不順の解消のためなのだろう。

彼も急角度にそそり立った幹に指を添え、下向きにさせて先端を割れ目に押し付けた。

そして潤いを与えるように膣口を探ると、

「もう少し下……、そう、そこ……」

江利香が僅かに腰を浮かせて言い、誘導してくれた。

グイッと股間を押しつけると、張り詰めた亀頭が潜り込み、あとは潤いに任せてヌルヌルッと滑らかに根元まで吸い込まれていった。さすがに芙美子よりきつく、熱いほどの温もりが満ちていた。

「あう、いい……」

江利香がキュッキュッと味わうように締め付けながら言い、両手を伸ばして彼を抱き寄せた。文夫も股間を密着させ、温もりと感触を味わいながら脚を伸ばし、身を重ねていった。

するとと江利香が下からしがみつき、

「とうとう文夫君としちゃったわ……」

熱っぽい眼差しで彼を見上げて言う。

ということは、以前からこうなることを予想し、あるいは望んでいたのかも知れない。

まだ動かず、彼は快感を嚙み締めながら上からピッタリと唇を重ねていった。

柔らかな感触と唾液の湿り気を味わい、彼女の息で鼻腔を湿らせながら、そろそろと舌を挿し入れた。

「ンン……」

すると江利香が小さく呻き、歯を開いて受け入れてくれた。

舌をからめると彼女もチロチロ蠢かせてくれ、文夫は生温かな唾液に濡れた滑らかな舌を味わった。

すると待ち切れないように、江利香がズンズンと股間を突き上げはじめたので合わせて文夫もぎこちなく腰を突き動かした。

大量の愛液ですぐにも動きが滑らかになり、互いの動きが一致してきた。ピチャクチャと湿った摩擦音も聞こえ、

「アアッ……！」

江利香が口を離し、顔を仰け反らせて熱く喘いだ。開いた口から洩れる湿り気ある吐息は、花粉に似た刺激を含んで彼の鼻腔を掻き回してきた。

江利香の息を嗅ぐと、もう我慢できず、彼は心地よい摩擦の中で昇り詰めてしまった。

「い、いく、気持ちいい……！」

突き上がる絶頂の快感に口走り、彼は熱い大量のザーメンをドクンドクンと勢いよくほとばしらせた。

「あ、熱いわ、いく……、アアーッ……！」

すると奥深い部分に噴出を感じた江利香も、オルガスムスのスイッチが入ったように声を上げ、ガクガクと狂おしい痙攣を開始したのだった。

収縮と潤いが増し、文夫は江利香が絶頂に達してくれたことに感激しながら、心ゆくまで快感を嚙み締めた。

そして最後の一滴まで出し尽くすと、すっかり満足しながら徐々に動きを弱め、力を抜いてもたれかかっていった。

「ああ……、上手よ、すごく良かった……」

すると江利香も肌の強ばりを解き、吐息混じりに熱く囁いた。

まだ膣内はキュッキュッと収縮を繰り返し、刺激された幹が中でヒクヒクと過敏に震えた。

そして文夫は息づく肌に体重を預け、江利香の熱くかぐわしい吐息を間近に嗅ぎながら、うっとりと快感の余韻を嚙み締めたのだった。

重なったまま呼吸を整え、ようやく彼が身を起こしてそろそろと股間を引き離すと、江利香が枕元のティッシュを手にして割れ目に当てた。

「もうお風呂入ってもいいわね……？」

江利香も身を起こして言うので、文夫は頷いてベッドを降り、一緒に部屋を出ていった。

バスルームまでは、仏間の前を通らずにいける。廊下の向こうは静かなので、芙美子も理恵もぐっすり眠っているのだろう。

バスルームに入り、互いの股間をシャワーで洗ってから彼女が湯に浸かった。

もちろん文夫は、湯に濡れた江利香の肌を見ているうち、すぐにもムクムクと回復してきてしまった。

「ね、こんなになっちゃった……」

「まあ、もう？」

勃起したペニスを見せて甘えるように言うと、江利香もバスタブから出ながら目を丸くして答えた。

「ここに立って」

文夫は洗い場のバスマットに座ったまま言い、江利香を目の前に立たせた。

さらに彼女の片方の足を浮かせ、バスタブのふちに乗せさせ、開いた股間に顔を埋めた。

濡れた恥毛に鼻を擦りつけて嗅いだが、もう悩ましい匂いは消えてしまった。

「匂いが消えちゃった……」

「さっきは匂っていた？」

嗅ぎながら言うと、江利香もそのままの姿勢のまま、羞恥に息を詰めて訊いた。

「うん、いい匂いだった」

「そんなはずないわ……、あう、舐めるとまた変な気になっちゃうわ……」

舌を這わせると、すぐにも新たな愛液を漏らしながら江利香が声を震わせた。

「ね、オシッコ出して……」

「まあ、無理よ、そんなの……」

「少しだけでいいから」

腰を抱えてせがみ、執拗に舌を這わせてはクリトリスに吸い付いていった。

3

「アア、吸ったら本当に出ちゃう……」

「出して」

江利香が息を詰めて言い、文夫も舌の蠢きと吸引を続けた。彼女も本当に尿意が高まってきたのだろう。舐めると奥の柔肉が迫り出すように盛り上がり、急に温もりと味わいが変化した。

「出る、離れて……、あう……」

江利香が呻くと同時に、チョロッと熱い流れがほとばしってきた。止めようとしても、いったん放たれた流れはチョロチョロと次第に勢いを増して彼の口に注がれた。

「アア、ダメよ、こんなこと……」

江利香が言いながらも立ったまま放尿を続け、フラつく身体を支えるように両手を彼の頭に置いていた。

味も匂いも実に淡いもので、少しだけ飲み込んでみたが薄めた桜湯のように心地よく喉を通過した。

勢いが付くと口から溢れた分が温かく胸から腹に伝い流れ、ピンピンに回復したペニスが心地よく浸された。

文夫も嬉々として憧れの江利香の出したものを受け入れ、甘美な悦びで胸を満たした。

やがて勢いが衰えると、間もなく流れは治まってしまった。

彼は残り香の中で余りの雫をすすり、割れ目内部を舐め回した。

すると新たな愛液が溢れて舌の動きが滑らかになり、たちまち淡い酸味のヌメリが満ちていった。

「も、もうダメ……」

江利香が言い、足を下ろすと力尽きたようにクタクタと座り込んでしまった。

文夫は入れ替わりに身を起こし、バスタブのふちに腰を下ろすと、彼女の顔の前で股を開いた。

せがむように幹を震わせると、江利香も顔を寄せ、両手で押し包むように幹を支え、粘液の滲む尿道口にチロチロと舌を這い回らせてくれた。

「ああ、気持ちいい……」

文夫は江利香の舌のヌメリに、幹をヒクつかせて喘いだ。

江利香は張り詰めた亀頭にしゃぶり付き、そのままスッポリと喉の奥まで呑み込んでいった。唇で幹を締め付けて吸い、口の中ではクチュクチュと舌がからみついた。

さらに顔を前後させ、スポスポと強烈な摩擦を開始したのだ。

「す、すぐいきそう……」

すっかり高まって言うと、江利香はチュパッと口を引き離した。

「出るとこ見たいわ」

言うので、もう挿入は充分だし、口に出されるのが嫌なのか、あるいは純粋に射精の様子が見たいのだろう。

「じゃ、指でして。こうして……」

文夫は言って座り、後ろに江利香を座らせた。

江利香はバスタブに寄りかかり、文夫は彼女に寄りかかった。

背中に柔らかな乳房が密着し、文夫はうっとりと脚を投げ出した。すると後ろから江利香が両手を回し、ペニスをいじってくれた。

「こんな動きでいい？」

江利香が肩越しにペニスを見ながら、ニギニギと愛撫しはじめた。

「うん、すごく気持ちいい……」

文夫も寄りかかりながら答え、肩越しに感じる江利香の花粉臭の吐息を嗅いで興奮を高めていった。

人にいじられるとオナニーとは違い、時に予想も付かない動きをされたり、意外な部分が感じたりして新鮮だった。

最初はぎこちなかった江利香の動きも、次第に慣れてきたようにリズミカルになった。右手で幹を上下にしごき、左手の指先はサワサワと微妙なタッチで陰嚢をくすぐっている。

文夫は絶頂を迫らせながら振り向き、彼女の唇に迫った。

「唾を出して」

言うと彼女も唇を重ね、懸命に分泌させながらトロトロと注いでくれた。文夫は生温かく小泡の多い唾液を味わい、うっとりと喉を潤した。さらに彼女の口に鼻を押し込み、濃厚な花粉臭の息を嗅いで胸を満たした。

「息が、いい匂い」

「うそ、まだ寝しなの歯磨きもしていないのに……」

嗅ぎながら言うと、江利香が恥じらいを含んで言いながらも、嫌がらずに息を吐きかけてくれた。たまに指の動きが止まり、せがむように幹を震わせると、また愛撫を再開してくれた。

「いきそう、舐め回して……」

鼻を押し込んで言うと、彼女もバスルームですぐ洗えると思ったか、たっぷり唾液を出しながら彼の鼻をしゃぶってくれた。

「ああ、気持ちいい、いく……！」

文夫はたちまち、江利香の指の動きの中、唾液と吐息の匂いに酔いしれながら口走り、そのまま絶頂に達した。

同時に、ありったけの熱いザーメンがドクンドクンと勢いよくほとばしった。

「まあ、すごい勢いだわ。二回目なのに」

江利香が肩越しに見つめながら嘆息した。

本当は本日四回目なのだが、正直に言うわけにもいかない。

文夫は愛撫に合わせるようにザーメンを脈打たせ、肩越しに感じるかぐわしい息を嗅ぎながら、心置きなく最後の一滴まで出し尽くしていった。

「オナニーの時こんなに飛んだら、あとで拭くのが大変でしょう」

彼女も、徐々に動きを弱めながら囁いた。

「ううん、いくときは先っぽにティッシュを巻くので……」

文夫は答え、グッタリと身を投げ出した。

すると江利香が後ろから身を離し、出しきったばかりのペニスに屈み込んだ。

まだ幹を握り、尿道口から滲む白濁の雫をチロリと舐めてくれた。やはり口に受けるのが嫌だったのではなく、ただ射精を見たかったようだ。

「あう、も、もういい、有難う……」

文夫は降参するように、ヒクヒクと過敏に幹を震わせて言った。

江利香も身を起こし、もう一度互いにシャワーを浴びてからバスルームを出た。

そして身体を拭くと、二人は全裸のまま江利香の部屋に戻り、文夫が身繕いすると彼女はパジャマを着た。

「じゃ、僕は部屋に戻るね」

「ええ、朝食の仕度が出来たらメールするから来てね」

言われて頷き、文男は玄関に行って靴を履いた。見送りに来た江利香も、彼がアパートに向かうとドアを閉めて施錠した。

同じ敷地内にあるアパートは、二階建てで上下に三所帯ずつ。文夫は一階の端で、最も田代家の屋敷に近い場所だった。

やがて彼は、自分の匂いだけのする部屋に入った。六畳一間に狭いキッチンとバストイレ、万年床に机と本棚、小型テレビに小型冷凍冷蔵庫と電子レンジ、大学に入ってからだから、もう二年近くになる。

まだ十時過ぎだが、あまりに色々なことがありすぎ、すぐ彼は服を脱ぐとシャツとトランクスで布団に横になった。

（とうとう初体験したんだ……）

文夫は心地よい脱力感の中で思った。

昼間は江利香の先祖である美熟女の芙美子と初体験に口内発射、夜は憧れの江利香と交わり、仕上げには指でもしてもらった。

通常のオナニーは日に二、三回なので、日に四回の射精は実に多かった。それでも自分で抜いたのではなく、生身の美女たちが相手なので、何とも充実した一日であった。

そしてタイムスリップという非現実的な出来事に頭も疲れていたのか、間もなく彼は深い睡り(ねむ)に落ちていったのだった。

4

翌朝、江利香からメールが来たので、すぐ行くと文夫も返信した。

『朝食の仕度が出来たから来て』

どうやら芙美子と理恵の母娘は、過去へ戻ることなく、この朝もちゃんと存在しているようだ。

文夫も早起きして歯磨きとトイレを済ませ、今日も何かあるといけないのでシャワーを浴びて服を着たところだった。

もちろんぐっすり眠ったので疲れはなく、むしろ昨日あったことを思い出すたび、すぐにもムクムクと勃起しそうだった。

気が急く思いでアパートを出て、田代家のチャイムを鳴らすと、施錠されていないのですぐ開けて上がり込んだ。

「おはよう」

文夫が声を掛けて食堂へ行くと、三人が揃っていた。江利香は、昨夜のことなど何事もなかったように、笑顔で、

「そこに座って」

と言ったので彼も席に着いた。

芙美子と理恵は、さすがに昨日会ったときの昭和十八年の衣装ではないので、見た目は現代の美人母娘と変わりなかった。

昨夜髪を洗ったので、もう理恵はお下げは結わず長く垂らし、芙美子はアップにまとめている。

朝はレトルトライスではなく飯を炊いたようで、味噌汁は芙美子が作ったらしい。あとは味付け海苔にスーパーの漬け物、卵に小女子（こうなご）があった。

「いただきます」

母娘が声を揃えて言い、文夫も緊張しながら箸を取った。十代、二十代、三十代の美女三人との食事など、もちろん生まれて初めてだ。うっかり料理を喉に詰め、ゲロでも吐いたらえらいことになる。

母娘とも、上品に食事をしていた。

「美味しいわ、このお海苔」

理恵が言う。してみると飯も味噌も漬け物も、それほど違和感はないようだ。

これが仮に江戸時代から来た人たちだったら添加物などで不味（まず）いと感じるかも

知れないが、昭和十八年ならそれほど変わらず、しかも贅沢を控えた時代だから何でも有難く頂くのだろう。

　やがて文夫も難なく食事を終えると、女性たち三人は片付けと洗い物をし、そして母娘は仏間の布団を干したり、甲斐甲斐しく掃除をはじめた。

　他にすることもなく、体を動かしていないと落ち着かないのだろう。

　と、母娘のそんな様子を遠くに見ながら、江利香が近づいて囁いた。

「今朝、芙美子さんから戦争の行方を尋ねられたのだけど」

「うん、それで……？」

「教えるわけにはいかないと答えたわ。歴史が変わってしまうので、昭和十八年から、この八十年間のことは訊かないでほしいってお願いしたの」

「そう、それがいいと思う」

「何となく芙美子さんも納得してくれたわ。そして二人の位牌も隠したの。自分の死ぬ日が分かるというのも良くないと思って」

「うん、そうだね。それで二人の一生は？」

「二人とも七十半ば過ぎまでの寿命があるわ。理恵ちゃんは、私が生まれる前の年に七十六で亡くなってる」

「そう、じゃ江利香さんも、曾祖母の理恵ちゃんには会ったことがなかったんだね」

「ええ。だから文夫君も、歴史に関して不用意なことは言わないよう注意して」

「うん、分かった」

答えながら文夫は、顔を寄せて囁く江利香のかぐわしい吐息を感じ、痛いほど股間を突っ張らせてしまった。

「今日は昼食後にでも、芙美子さんと買い物に出てみるわ。驚くだろうけど、多少は理恵ちゃんから聞いているし、必要なものもあるだろうから」

江利香が言い、また昼食の時に来ることにして、文夫はいったんアパートの部屋に戻った。

そして彼は、やりかけだった国文のレポートにかかり、何とか集中して進めることが出来た。これで明後日の月曜には問題なく提出することが出来るだろう。

やがて昼になり、江利香からのメールがあったので、また昼食をよばれに、彼は田代家へ行った。

昼食は、茹でたパスタにレトルトのミートソース、生野菜サラダで、

「ハイカラな味だわ」

また理恵が言って、美味しそうに食事をした。田代家は名家だから、出かけたとき洋食なども経験しているのだろう。

食事を終えて洗い物を済ませ、江利香と芙美子は出かける仕度をした。

「理恵ちゃんは？」

「私はいいわ。賑やかすぎて目が回りそうになるから」

文夫が訊くと、理恵が答え、急に悪戯っぽい眼差しになった。

「文夫兄様、そこらを散歩に連れてって」

「あ、ああ、いいよ」

兄様と言われ、文夫は胸を高鳴らせて答えた。こんな可愛い妹がいたら、何でも面倒を見てやりたくなる。

そして理恵も、この時代へ来た戸惑いが薄れてくると、やはり一人っ子のため、江利香より歳の近い文夫に兄のような思いを抱きはじめているのかも知れない。

「じゃ行くので、夕方前には帰るから理恵ちゃんをお願い」

江利香が意味ありげな眼差しで言う。別に彼が理恵に手を出すなどという危惧ではなく、彼がうっかり歴史の出来事を口にしないよう釘を刺したのだろう。

そして江利香と芙美子は、理恵を残すことを何も心配していないように出ていった。

しかも散歩するのならと、江利香は文夫に玄関の鍵を預けてくれたのである。

「じゃそこらを歩いてみようか。もともと知ってる町だろうけど、八十年でずいぶん変わったろうからね」

文夫は言い、一緒に外に出ると彼は玄関ドアを施錠した。

「どこへ行く？」

「私、兄様のお部屋を見たいわ。近所にお友達の家もあるけど、どうせ行っても会えないし、似た子孫がいても何も話せないので」

「え、そう、汚くしているけど……」

言われて仕方なく、というより胸を高鳴らせながら彼はアパートに向かった。

「ここは建物もなく、広いお庭だったのよ」

理恵がアパートや、その周囲を見回しながら言う。

「池に鯉がいて、多くの木や花が植えられて、でも戦争が始まってからは手入れしていなかったけど」

「そう、残念だね」

彼は答えた。今は田代家の周囲に狭い庭があるきりである。

すぐアパートに着き、彼は理恵を自室に招き入れた。こんなことなら万年床ぐらい畳んでおけば良かったと思ったが仕方がない。

「これが、学生さんのお部屋……」

上がり込んだ理恵が、物珍しげに室内を見回した。

もちろんこの部屋に女性が入ったのは初めてのことである。

「難しそうな本ばかりね。でも吉川英治は知ってるわ。親戚から借りた神州天馬俠。あと少年倶楽部の、のらくろも好き。少女倶楽部より、少年倶楽部の方が面白いわ。あと高垣眸（たかがきひとみ）のまぼろし城とか」

理恵が本棚の背表紙を見回して言う。

どうやら彼女は、少女小説などより、ワクワクする話が好きらしい。

しかし文夫は、室内に立ち籠めはじめる美少女の匂いに股間を熱くさせてしまった。

だが急に理恵の方も口を閉ざし、じっと彼を見つめてきたのである。

5

「ね、兄様、私は何歳まで生きるの？」

「え……！」

つぶらな眼差しで囁くように言われ、文夫は激しくうろたえた。

ついさっき江利香から、理恵は七十六歳まで生きると聞いたばかりなのだが、もちろん江利香との約束もあり、言うわけにいかない。

「知っているんでしょう？　学徒出陣の壮行会まで開かれるんだから、戦争もかなり大変なことになっていると思うの。品川だって空襲されるかも知れないし」

「そ、それは……」

「それに私とお母さんだけ、こんな恵まれた世界に来ていてはいけないわ。近所の人たちもお友達も銃後で苦労しているのだから」

銃後とは、戦地に対し内地で守りを固めて働くことである。

「も、もちろん当時の人の苦労があったから今の平和があるんだけどね」

文夫が言うと、急に吹っ切れたように理恵が顔を輝かせた。

「そうか、あの頃はちゃんと今に繋がってるのね。きっと江利香さんは私の子孫だから、少なくとも私は子を生むまでは生きているっていうことになるわ」

「あ、ああ、そうだね……、だから、それ以上のことは訊かないでほしいんだ。いつ君たちがあの頃に戻るかも知れないんだし、先のことは知らない方が」

必死に言うと、今度は理恵も、上気した頬に笑窪を浮かべて素直に頷いた。

「そうね。昭和十八年に戻って、うっかり先のことなんか言ったら、デマを広めたって言って、すぐ憲兵や特高が飛んでくるわ」

特高は特別高等警察、思想犯などを取り締まる恐い存在だ。

「分かったわ。もう何も訊かないでおく」

「うん、そうしてくれると有難い」

文夫はほっとしたが、やはり理恵はあの頃に戻りたがっているのを知って意外な気がした。苦労の時代より、恵まれた現代の方が良いように思うが、やはり当時の教育で培われた責任感があるのだろう。

「ね、兄様にお願いがあるのだけど」

「うん、何でも言ってみて」

「脱いで身体を見せて」

「え……？」

「私、お父さんの太い腕にぶら下がるのが好きだったの。胸の筋肉もすごかったし」

「そ、それは、海軍将校に比べられたら堪らないけど、すごく貧弱だよ……」

「それでもいいです。見せて」

懇願され、文夫はシャツを脱ぎ去って上半身裸になった。

目的は違うのかも知れないが、何やら彼の望んでいる展開になりそうである。

「わあ、肌が白いわ。筋肉なんてない」

理恵が言い、それでも失望した様子もなく熱い眼差しを向け、彼の腕に両手で掴まってきた。大丈夫かなと思いつつ、腕で彼女を支えようとしたが、とても重さに堪えられず、彼は理恵と一緒にどさりと布団に座り込んでしまった。

「あん……」

「ほら、だから言ったろう、僕は弱いんだから……」

文夫は、美少女の温もりと感触に興奮を高めながら言った。

すると何と、理恵がそのまま彼の胸に縋り付いてきたのである。

「私、目が覚めて見ちゃったんです。兄様と江利香さんのしていること……」

「え……！」

「やっぱり二人は恋人だったのね。私ドキドキして、仏間に戻っても暫(しばら)く眠れなくて、とうとう自分で……」

オナニーしたらしい。当時の乙女でも、ちゃんと自分で慰める術は持っているようだ。

そして今の理恵は、時代に関係なく激しい好奇心に突き動かされた、一人の無垢な少女に過ぎなかった。

理恵が体を押し付けてくるので、彼は迫る髪の乳臭い匂いに刺激されながら、とうとう布団に仰向けになってしまった。

その上から理恵が大胆にのしかかり、顔を迫らせてきた。

熱い光を宿した眼差しが彼の両の目を近々と覗き込み、僅かに開いた口から熱く湿り気ある息が洩れていた。

匂いに昼食の名残は感じられず、まるで桃でも食べた直後のように、甘酸っぱい清らかな果実臭がして鼻腔を刺激してきた。

「ね、接吻していいですか。私は江利香さんに似てるので、うんと嫌じゃないはずです」

理恵が囁く。

もちろん好奇心からであり、会ったばかりで愛情とは言えないだろうが、ただでさえ男が出征して少ない時代から来て、昨夜の行為を覗き見た興奮も手伝って、我を忘れているようだった。

「う、うん、少しだけなら……」

文夫は興奮に負け、痛いほど股間を突っ張らせて答えていた。

すると理恵も上から積極的に顔を迫らせ、薄目になりながらそっと唇を重ね合わせてきたのだ。

密着する無垢な唇は、グミ感覚の弾力を秘め、唾液の湿り気とともに彼を酔わせた。

「ンン……」

理恵が小さく声を洩らし、彼女も触れ合う感触を味わっていたが、すぐに唇を離した。

「ああ、すごくドキドキします。ね、もう一度……」

理恵が息を弾ませて感想を述べ、今度はじっくり味わうように強く密着させてきた。可憐な顔が間近に迫り、窓から射す陽射しに、水蜜桃のような頬の産毛が輝いた。

　彼がそろそろと舌を挿し入れ、滑らかな歯並びをチロチロと左右にたどると、やがて理恵の歯も怖ず怖ずと開かれ、侵入を許してくれた。

　温かな口の中に入ると舌同士が触れ合い、理恵の舌が一瞬奥へ避難しようとしたが、やがて自分から恐る恐る触れ合わせてきた。

　チロチロと蠢かせると、次第に彼女も舐め回してくれ、彼は生温かく清らかな唾液にまみれ、滑らかに蠢く処女の舌を味わった。

　彼女が下向きのため、溜まった唾液がトロリと注がれ、文夫はうっとりと味わいながら喉を潤した。

　やがて息苦しくなったように唇を離すと、そのまま理恵は力が抜けたように彼の隣にグッタリと横たわった。

「すごくいい気持ち……、お友達も、まだ誰もしていないと思うわ……」

　理恵が夢見心地で囁き、熱い息が彼の裸の胸をくすぐった。

「ね、理恵ちゃんも脱いでみる？　僕だけ脱いでるのは恥ずかしいので……」

　いけないいと思いつつ彼は言ってしまった。

　すると理恵も横になったままブラウスのボタンを外してゆき、甘ったるい匂いを揺らめかせて脱ぎはじめた。

（昨日と今日で、母娘の両方と……）

文夫は思い、自分も下半身を脱ぎ去り、ピンピンに勃起したペニスを露わにしていった。

すると理恵も、全て脱ぎ去り、一糸まとわぬ姿になってくれたのだった。

第三話　生娘の熱き好奇心

1

（わあ、綺麗だ……）

文夫は、一糸まとわぬ理恵の肢体を見下ろして興奮を高めた。

もちろん処女に触れるなど生まれて初めてである。というより、一昨日までキスも風俗も知らない無垢な童貞だったのだ。

それが昨日の昼間、理恵の母親である芙美子と初体験をし、しかも夜には憧れの江利香とも一つになれたのである。

やはり芙美子と理恵の母娘が、八十年前からこの時代にタイムスリップしてきたことが、彼の女性運の大いなる切っ掛けになったようだった。

そして今日は、芙美子の娘である美少女の理恵が、目の前で身を投げ出しているのだ。

乳房は芙美子に似て豊かになる兆しを見せ、さすがに緊張と羞恥に忙しく息づいていた。乳首も乳輪も初々しく清らかな桜色をして、股間の翳りは淡く、全身がムチムチと健康そうな張りを持っていた。

理恵も長い睫毛を伏せ、期待に身を投げ出していた。

やはり時代は変わっても、思春期の好奇心は今と変わりないのだろう。

もう我慢できず、文夫は吸い寄せられるように理恵の胸に屈み込み、チュッと乳首に吸い付いていった。

「あん……」

理恵が声を洩らし、ビクッと肌を震わせて反応した。同時に生ぬるく甘ったるい体臭が揺らめき、心地よく文夫の鼻腔をくすぐってきた。

舌で転がしながら、顔中で張りのある膨らみを感じると、

「アアッ……！」

理恵が喘ぎ、じっとしていられないようにクネクネと身悶えた。

しかし、まだ感じるというより、くすぐったい感覚の方が大きいのだろう。

文夫は興奮しながら、もう片方の乳首も含んで舐め回した。充分に味わうと、さらに彼は理恵の腕を差し上げ、腋の下にも鼻を迫らせた。

何とそこには、芙美子のように色っぽい和毛(にこげ)が煙っていた。やはり戦時中の少女は腋の手入れなどしないのだろう。

鼻を擦りつけると、そこは生ぬるく湿り、甘ったるい汗の匂いが可愛らしく籠もっていた。

昨日の昼間入浴したが、やはり夜に文夫と江利香の行為を覗き見てオナニーしたから、その名残で全身が汗ばんだままなのかも知れない。

文夫は美少女の濃厚な体臭でうっとりと胸を満たし、そのまま肌をたどっていった。

愛らしい縦長の臍を探り、張りのある下腹に顔を押し付けて弾力を味わい、例によって股間を最後に取っておき、腰から脚を舐め降りていった。

張りのある脚はスベスベで、足首まで行って足裏にも舌を這わせ、縮こまった指の間に鼻を押し付けると、そこは汗と脂に湿ってムレムレの匂いを籠もらせていた。

美少女の蒸れた足の匂いを貪ってから、爪先にパクッとしゃぶり付き、順々に指の股に舌を割り込ませて味わうと、

「あう、駄目……！」

理恵が驚いたように呻き、ビクリと脚を引っ込めようとした。

それを抑えつけて、彼は両足とも全てしゃぶり、味と匂いを貪り尽くしてしまった。

股を開かせ、脚の内側を舐め上げていくと、理恵はもう何をされているかも分からないほど朦朧となり、ただハアハアと荒い息遣いを繰り返すばかりとなっていた。

白くムッチリした内腿をたどり、無垢な股間に迫ると、そこは熱気と湿り気が籠もっていた。

ぷっくりした丘には淡い若草が恥ずかしげに煙り、割れ目からはみ出した小振りの陰唇がヌラヌラと蜜に潤っているではないか。

そっと指を当てて左右に広げると、

「く……」

触れられた理恵が小さく呻き、開いた内腿を緊張させた。

中の柔肉も清らかな蜜に濡れ、無垢な膣口が襞を入り組ませて息づいていた。小さな尿道口の小穴も確認でき、包皮の下からは小粒のクリトリスがツヤツヤと光沢を放って、僅かに顔を覗かせている。

堪らずに顔を埋め込み、柔らかな若草に鼻を擦りつけて嗅ぐと、やはり蒸れた汗とオシッコの匂いが感じられ、それに処女特有のチーズ臭も混じって鼻腔を刺激してきた。

（なんていい匂い……）

文夫は興奮と感激に包まれながらうっとりと胸を満たし、充分に嗅いでから舌を這わせていった。

膣口をクチュクチュ掻き回すと、溢れる蜜で舌の動きが滑らかになり、彼は味わいながらクリトリスまで舐め上げていった。

「あう、そこ……」

理恵がビクッと顔を仰け反らせて呻き、内腿でキュッときつく彼の両頬を挟み付けてきた。

「ここ、気持ちいい？」

「え、ええ……、でも恥ずかしくて、何か恐いわ……」

股間から訊くと、理恵も生まれて初めての感覚に声を震わせて答えた。

文夫はあまり強く刺激してはいけないと思い、味と匂いを堪能すると理恵の両脚を浮かせて尻に迫った。

谷間には、おちょぼ口をした薄桃色の蕾がひっそりと閉じられ、鼻を埋めると顔中に弾力ある双丘が密着した。

蕾には、やはり秘めやかに蒸れた匂いが籠もって鼻腔が刺激され、彼は貪ってから舌を這わせた。細かに収縮する襞を濡らし、ヌルッと潜り込ませて滑らかな粘膜を味わうと、

「あう……」

理恵が激しく呻き、キュッときつく肛門で舌先を締め付けてきた。

文夫は内部で舌を蠢かせてから、ようやく脚を下ろして再び割れ目に舌を戻すと、蜜も大洪水になっていた。

クリトリスをチロチロと舐め、処女の膣口に指を挿し入れると、さすがに入り口はきついが潤いが充分なので、指は滑らかに根元まで吸い込まれていった。

そして指の腹で小刻みに内壁を擦り、天井の膨らみもいじりながらクリトリスを舐め回していると、

「い、いっちゃう、アアーッ……！」

たちまち理恵がガクガクと狂おしく腰を跳ね上げるなり、声を上ずらせて嫌々をした。

どうやらオルガスムスに達してしまったようで、なおも彼が舌と指の愛撫を続けていると、それ以上の刺激を拒むように腰をよじらせた。

やがて彼女がグッタリとなったので、文夫も舌と指を引き離し、股間を這い出して添い寝していった。

腕枕してやると、理恵も彼の胸に顔を埋めて熱い息を弾ませ、たまに思い出したようにビクッと全身を震わせた。

彼は理恵が少し落ち着くのを待ってから、理恵の手を握ってペニスに導いた。

すると彼女もそっと触れ、生温かく汗ばんだ手のひらで幹を包み込み、感触を確かめるようにニギニギしてくれた。

「ああ、気持ちいい……」

無垢な愛撫に幹を震わせて喘ぐと、

「近くで見てもいい……？」

息を吹き返したように理恵が言い、そろそろと身を起こしていった。

彼も仰向けになり、大股開きになると理恵が真ん中に腹這い、股間に顔を寄せてきたのだった。

2

「おかしな形……」

股間から理恵が熱い視線を注いで呟き、なおも幹を撫で、張り詰めた亀頭にも恐る恐る触れてきた。

さらに陰嚢を撫で回し、二つの睾丸を確認してから、袋をつまみ上げて肛門の方まで覗き込んだ。

そして再びペニスに戻ると、粘液の滲む尿道口を指の腹でヌラヌラと擦った。

「これが子種の精汁？」

いじりながら、彼女が無邪気に訊いた。

「それは理恵ちゃんが気持ちいいときに濡れるのと一緒。ザーメン、いや精汁は白くて勢いよく飛ぶんだよ」

言うと、理恵はそっと鼻を寄せて先端を嗅いだが、彼は朝シャワーしたので特に匂わないようだ。

　理恵も在学中から女学校の仲間たちと際どい話もして、今の少女と同じぐらいの知識はあるようだった。まして今より、結婚年齢も若いのである。

「ね、嫌じゃなければ、お口で可愛がって」

　せがむように幹をヒクつかせながら言うと、理恵も顔を進めてきた。

　そして舌を伸ばすと肉棒の裏側をゆっくり舐め上げ、先端まで来ると幹に指を添え、粘液の滲む尿道口を厭わずチロチロと舐め回してくれた。

　特に不味くなかったようで、さらに張りつめた亀頭をしゃぶった。

「ああ、気持ちいいよ。深く入れてみて」

　文夫が快感を高めて言うと、理恵も丸く開いた口でスッポリと呑み込んでくれた。先端が喉の奥に触れると、彼女は熱い鼻息で恥毛をくすぐり、口の中で舌をからみつけてきた。

　吸い付くたび、上気した頬がすぼまって笑窪が浮かび、舐められながらたちまち彼自身は生温かく清らかな唾液にまみれた。

「アア、いい……」

　文夫は美少女の神聖な口の中で幹を震わせて喘ぎ、思わずズンズンと股間を突き上げてしまった。

「ンン……」

理恵が小さく呻き、自分も無意識に顔を上下させ、スポスポと強烈な摩擦を開始してくれた。

たまに、ぎこちなく触れる歯の感触も新鮮な快感をもたらした。

「い、いきそう、離して……」

すっかり高まって言うと、理恵もチュパッと軽やかな音を立てて口を離してくれた。

「どうする、入れてみる？」

良いのだろうかと少し迷いながら訊くと、

「最後までしてみたいです」

理恵が答え、再び添い寝してきた。

入れ替わりに身を起こし、彼は理恵の股を開かせて股間を進めていった。急角度にそそり立つ幹に指を添え、下向きにさせて濡れた割れ目に擦り付けた。

充分に潤いを与えると位置を定め、チラと理恵の顔を見ると神妙に目を閉じ、その時を待っているようだ。

そのまま文夫が無垢な膣口に押し込んでいくと、張り詰めた亀頭が処女膜を丸く押し広げる感触が伝わった。

しかし潤いが充分なので、彼自身はヌルヌルッと肉襞の摩擦を受けながら、滑らかに根元まで呑み込まれていった。

「あう……！」

理恵が微かに眉をひそめて呻き、キュッときつく締め付けてきた。

文夫は股間を密着させ、熱いほどの温もりときつい感触を味わいながら、脚を伸ばして身を重ねていった。

「大丈夫？」

「ええ……、どうか最後まで……」

気遣って訊くと、理恵が薄目を開けて健気（けなげ）に答えた。

どうやら中に出して良いらしい。

まあ互いに生きている時代が違うのだから、孕（はら）んだりしないのではないかと、彼は都合の良いように思い、すっかりその気になってしまった。

のしかかると張りのある乳房が胸の下で押し潰れ、心地よい弾力が伝わった。

柔らかな恥毛が擦れ合い、肌の前面が密着して、微かにコリコリと恥骨の膨らみも感じられた。

理恵も下から両手を回してしがみつき、膣内は初めての男を確かめるような収縮が彼を高まらせた。

まだ動かず、文夫は彼女の肩に腕を回し、顔を寄せて唇を重ねた。

美少女の唇の感触を味わい、理恵の息で鼻腔を湿らせながら舌を挿し入れ、滑らかな歯並びを左右にたどった。

理恵も破瓜の痛みに奥歯を食いしばっていたが、そろそろと歯を開いて受け入れると、文夫もチロチロと彼女の舌を舐め回し、生温かな唾液を味わった。

そして快感に任せ、様子を探るように徐々に腰を突き動かしはじめると、

「アアッ……！」

理恵が口を離し、顔を仰け反らせて熱く喘いだ。

文夫は、美少女の濃厚に甘酸っぱい吐息を胸いっぱいに嗅ぐと興奮が高まり、いったん動きはじめるとあまりの快感に腰が止まらなくなってしまった。

ヌメリが充分なので、すぐにも律動はクチュクチュと滑らかになり、理恵も彼の背に回した両手に力を込めながら忙しげな息遣いを繰り返していた。

三人目の女性とはいえ、まだまだ彼もベテランではないので、すぐにも絶頂が

迫ってきてしまった。

　それに理恵も初めてだから、長く保たせる必要はないだろう。

　いつしか彼は激しく動き、美少女の果実臭の息を嗅ぎながら、摩擦の中であっという間に昇り詰めてしまった。

「く……！」

　文夫は突き上がる大きな絶頂の快感に呻き、熱い大量のザーメンをドクンドクンと勢いよくほとばしらせた。

「アア……」

　無意識に彼の絶頂が伝わったか、奥に熱いほとばしりを受けると、理恵も喘いできつく締め付けてきた。

　中に満ちるザーメンで、さらに動きがヌラヌラと滑らかになり、文夫は心ゆくまで快感を嚙み締め、最後の一滴まで出し尽くしていった。

　すっかり満足しながら徐々に動きを弱め、彼女にもたれかかっていくと、

「ああ……、奥が、熱いわ……」

　理恵も肌の硬直を解きながら、息を弾ませて言った。

　密着する胸から彼女の鼓動が伝わり、まだ息づく膣内に刺激され、射精直後で

過敏になった幹が中でヒクヒクと震えた。

「あう……、まだ動いてる……」

理恵がキュッキュッと締め付けながら呻き、文夫は美少女の甘酸っぱい吐息を間近に嗅ぎながら、うっとりと快感の余韻を味わったのだった。

重なったまま互いに呼吸を整えると、やがて文夫はそろそろと身を起こしてティッシュの箱を引き寄せた。

そして股間を引き離し、手早くペニスを拭いながら、処女を喪ったばかりの割れ目を観察した。

ピンクの花びらが痛々しくめくれ、膣口から逆流するザーメンにうっすらと鮮血が混じっていた。しかし量は少なく、すでに止まっているようだ。

文夫はそっとティッシュを当て、拭ってやったが、

「自分でします……」

理恵が身を起こして言い、後悔した様子もないので彼も安心したものだった。

3

「すぐお湯が出るなんて、本当にすごい」

　二人でバスルームに行ってシャワーの湯を出すと、理恵がまた目を丸くして言った。こんなアパートの風呂場にも、隣の屋敷と同じ設備があることに驚いているのだ。

　まあ、現代に来たばかりだから、そうすぐには慣れないのだろう。

　しかしバスルームは狭く、洋式便器が一緒なので洗い場はなく、文夫は二人でバスタブの中に入り、身を寄せ合いながら股間を洗い流した。

　もちろん文夫は、湯に濡れた美少女の肌を見ているうち、すぐにもムクムクと回復してきてしまった。

「ね、ここに足を載せて」

　彼は互いに洗い終えるとバスタブの中に座り込み、目の前に理恵を立たせると、片方の足を浮かせてバスタブのふちに乗せさせた。

　そして開いた股間に鼻と口を埋めると、濃厚だった匂いは薄れてしまったが、割れ目を舐めると新たな蜜が溢れ、舌の動きがヌラヌラと滑らかになった。

「あん……」

理恵が喘ぎ、ビクリと下腹を震わせた。

「ね、オシッコ出してみて」

文夫は言い、恥ずかしい要求に胸を高鳴らせた。

「ええっ？　無理です、そんなの……」

「少しでいいから」

彼は腰を抱えてせがみ、クリトリスに吸い付いて割れ目内部を舐め回した。

「あう……、駄目、吸ったら出ちゃいそう」

彼女が息を詰めて言うので、急に尿意が高まってきたのだろう。

理恵は何度か息を詰めては吐き出し、内腿をヒクヒクと震わせた。根気よく待ちながら舐めていると、次第に奥の柔肉が迫り出すように盛り上がり、味わいと温もりが変わってきた。

「で、出ちゃう……、アア……」

理恵が声を上ずらせると同時にチョロチョロと熱い流れがほとばしってきた。

文夫は舌に受け、淡い匂いと味わいを噛み締めながら喉を潤した。

勢いが付くと口から溢れ、温かく胸から腹に伝い流れて、勃起したペニスが心地よく浸された。

文夫は味わい、美少女の出すものを浴びながらゾクゾクと興奮を高めたが、間もなく流れは治まってしまった。

ポタポタ滴る余りの雫をすすり、彼は淡い残り香の中で割れ目内部を舐め回した。

「も、もう駄目です……」

理恵が言って足を下ろし、座り込んでしまった。

文夫も、もう一度互いの身体にシャワーの湯を浴びせ、バスタブを出た。身体を拭いて全裸のまま布団に戻ると、彼女も素直に添い寝してきた。

「まだ痛むかな？」

「いいえ、平気です。まだ中に何かあるみたいな感じはしているけど」

訊くと理恵は答え、彼はまたペニスを握らせ、ニギニギと愛撫してもらった。

「もう一度出すんですか……」

「うん、勃ってしまったら、出さないと元に戻らないんだ」

文夫は言い、美少女の口に鼻を潜り込ませ、濃厚に甘酸っぱい吐息を嗅ぎながら高まっていった。

「舐めて……」

言うと理恵も舌を這わせ、彼の鼻の穴をしゃぶりながら指の愛撫を続けてくれた。

「唾を飲ませて、いっぱい」

さらにせがむと、理恵も懸命に唾液を分泌させると、愛らしい唇をすぼめて迫り、トロトロと白っぽく小泡の多い唾液を吐き出してくれた。

舌に受けて味わい、うっとりと喉を潤すと、もう我慢できなくなった。

理恵の顔を股間に押しやると、彼女も素直に移動していった。

仰向けで大股開きになり、彼が両脚を浮かせて尻を突き出すと、要求しなくても理恵は自分から尻の谷間に舌を這わせてくれた。

清らかな舌先がチロチロと肛門を舐め、彼女は鼻息で陰嚢をくすぐりながら、自分がされたようにヌルッと潜り込ませてきた。

「あう、気持ちいい……」

文夫は妖しい快感に呻き、モグモグと味わうように美少女の舌先を肛門で締め付けた。

理恵も中で舌を蠢かせてくれ、彼は申し訳ない気持ちで興奮を高め、内側から刺激されるようにヒクヒクと幹を上下させた。

やがて脚を下ろすと、彼女も舌を離した。

「ここ舐めて」

陰嚢を指して言うと、理恵も舌を這わせて睾丸を転がし、袋全体を生温かな唾液にまみれさせてくれた。

そしてせがむように幹を震わせると、やがて理恵も前進して裏筋に舌を這わせチロチロと先端をしゃぶりはじめた。

「ああ……、深く入れて……」

喘ぎながら言うと、理恵もスッポリと喉の奥まで呑み込み、幹を締め付けて吸い、熱い息を股間に籠もらせながら、クチュクチュと舌をからめてくれた。

彼も快感に任せ、ズンズンと股間を突き上げると、理恵も顔を上下させ、スポスポとリズミカルに摩擦してくれた。

やはり処女を喪った直後に、二度目の挿入は酷だろうから、彼もここで果てさせてもらうことにした。

「ああ、気持ちいい、いく……！」

たちまち彼は絶頂に達し、快感に喘ぎながら、ありったけの熱いザーメンをドクンドクンと勢いよくほとばしらせてしまった。

「ク……、ンン……」

喉の奥を直撃された理恵が驚いて呻いたが、噎せることもなく、なおも摩擦と吸引、舌の蠢きは続けてくれた。

「アア……」

文夫は、美少女の口を汚す禁断の快感に喘ぎながら、心置きなく最後の一滴まで出し尽くしてしまった。

満足しながらグッタリと身を投げ出すと、理恵も動きを止め、口を離しながらコクンと喉を鳴らした。

「ああ、有難う。飲んでも毒じゃないからね」

言うと、理恵は幹を愛撫し、なおも尿道口から滲む余りの雫までチロチロと丁寧に舐め取ってくれたのだった。

「く……、も、もういいよ……」

文夫はクネクネと腰をよじらせ、過敏に幹を震わせて降参した。

そして彼女の手を引いて添い寝させると、文夫は美少女に甘えるように腕枕してもらいながら力を抜いた。

「不味くなかった……？」

「ええ、味はないけど少し生臭いわ。でも文夫兄様の子種だから……」

訊くと理恵が答え、味わいを思い出すようにチロリと舌なめずりした。

文夫は美少女の温もりに包まれながら呼吸を整え、理恵の吐息を嗅ぎながら余韻を味わった。

彼女の息にザーメンの生臭さは残っておらず、さっきと同じ桃のように甘酸っぱく可愛らしい匂いがしていた。

4

「本当に驚いたわ。あんなに賑やかな町になっているなんて……」

江利香と買い物から帰宅した芙美子が、現代の様子に驚きが隠せないように言った。

文夫と理恵も、充分に休憩してから屋敷に戻っていた。

もちろん理恵は、そこらを二人で散歩したと言っただけだった。

芙美子も町並みに興奮し、理恵が処女を喪ったことなど思いも寄らないように買い物した品を広げていた。

しかし服などは買わず、僅かな日用品ばかりだが、それでも芙美子には珍しいものばかりのようだ。

やがて夕食を終え、入浴を済ませると芙美子と理恵は仏間に下がっていった。

恐らく布団に横になりながら、現代の町のことを興奮しながら母娘で話し合っているのだろう。

「明日は日曜だけど、月曜からどうしようかしら」

江利香が、そろそろ帰ろうと思っていた文夫に言う。

「うん、大学に行くなら、二人に決して外に出ないよう伝えておかないとね」

「ええ、いつ過去に戻れるのかしら。別に私は迷惑ではないし、私が生まれた以上、二人ともちゃんと戻れることは分かっているのだけど」

「明日一日、様子を見て決めようよ」

「そうね、少しだけいい……？」

言うと、江利香がにじり寄ってきた。やはり、過去からの母娘を住まわせる不安が大きくて心細いのだろう。

もちろん文夫も激しく勃起してきた。

そっと江利香の部屋に入ると、互いの淫気が伝わり合うように、二人は無言で脱ぎはじめていった。

先に全裸になった文夫は、江利香の匂いの沁み付いたベッドに横になり、彼女もすぐ一糸まとわぬ姿になって添い寝してきた。

「すごい、こんなに勃って……」

江利香が彼の股間を見て言い、指を這わせて顔を寄せてきた。

もちろん江利香は、文夫が芙美子や理恵とセックスしたなどとは夢にも思っていないだろう。

そして彼も、昼間理恵を相手に二回射精していても、時間が経っているのでピンピンに回復し、今は目の前のお姉さんに激しく淫気が向いていた。

江利香は屈み込み、張り詰めた亀頭にしゃぶり付いて、熱い息を籠もらせながらチロチロと舌をからめてくれた。

「こっちを跨いで……」

文夫は快感に息を弾ませて言い、彼女の下半身を顔に引き寄せた。

江利香も肉棒を含んだまま身を反転させ、大胆に彼の顔に跨がってくれた。

女上位のシックスナインで、彼は下から江利香の腰を抱き寄せ、潜り込んで恥毛に鼻を埋めた。

まだ入浴前なので、茂みには濃厚に蒸れた汗と残尿臭が籠もり、悩ましく鼻腔が刺激された。彼は濡れはじめた割れ目を舐め回し、ツンと突き立ったクリトリスに吸い付いた。

「ンンッ……」

江利香が含んだまま呻き、反射的にチュッと強く吸い付きながら、熱い鼻息で陰嚢をくすぐった。

文夫は急激に溢れた愛液をすすり、伸び上がって尻の谷間にも鼻を埋めて蒸れた匂いを貪り、蕾に舌を這い回らせた。

そして江利香の前も後ろも味と匂いを堪能すると、充分に唾液に濡らしたペニスからスポンと彼女が口を離した。

そして身を起こして向き直ると、

「すぐ入れたいわ……」

江利香が言って跨がり、先端に割れ目を押し付けてきたのだ。

彼女が息を詰めて腰を沈めると、ペニスはヌルヌルッと滑らかに根元まで呑み込まれて行き、互いの股間が密着した。

「アア……」

江利香がぺたりと座り込み、母娘もいるので控えめな喘ぎ声を洩らし、キュッキュッときつく締め上げてきた。

文夫が両手を回して抱き寄せると、江利香も身を重ね、彼は両膝を立てて尻を支えた。文夫は潜り込むようにして左右の乳首を含んで舐め回し、顔中で柔らかな膨らみを味わった。

「アア、いい気持ち……」

江利香が、すぐにも腰を遣いはじめながら熱く喘いだ。

彼も股間を突き上げると、溢れる愛液で動きが滑らかになり、ピチャクチャと淫らに湿った摩擦音も聞こえてきた。

文夫は両の乳首と膨らみを味わい、腋の下にも鼻を埋め、甘ったるい汗の匂いに噎せ返った。

そして首筋を舐め上げていくと、彼女が自分からピッタリと唇を重ねてきた。

すぐにも舌がヌルッと潜り込み、彼はチロチロとからめながら、彼女の熱い息で鼻腔を湿らせた。

膣内の収縮と潤いが増し、彼がズンズンと激しく股間を突き上げはじめると、

「アア……、すぐいきそうよ……」

江利香が口を離し、熱く喘ぎながら動きを合わせてきた。

溢れる愛液が互いの股間をビショビショにさせ、彼の肛門の方にも垂れてシーツに沁み込んでいった。

江利香の吐き出す息はいつもの甘い花粉臭に、夕食の名残の淡いオニオン臭が混じり、彼は美しい顔とのギャップ萌えに興奮を高めていった。

「唾を垂らして」

言うと江利香もグジューッと吐き出してくれ、文夫は生温かく小泡の多い粘液でうっとりと喉を潤した。

なおも彼は江利香の喘ぐ口に鼻を押し当て、濃厚な吐息で鼻腔を刺激されながら絶頂を迫らせていった。

すると彼女の方が先にガクガクと狂おしい痙攣を開始し、

「い、いく……、アアッ……！」

声を洩らして激しいオルガスムスに達していったのだった。

その収縮に巻き込まれるように、続いて文夫も昇り詰めてしまった。

「く……、気持ちいい……」

大きな快感に口走りながら、熱い大量のザーメンをドクンドクンと勢いよくほとばしらせると、

「あう、感じる……！」

奥に噴出を受けると、駄目押しの快感を得た江利香が呻き、キュッキュッと締め付けを強めてきた。

文夫は心ゆくまで快感を味わい、最後の一滴まで出し尽くしていった。満足しながら、彼が徐々に突き上げを弱めていくと、

「アア……、すごく良かったわ……」

江利香も動きを止めて言い、グッタリともたれかかってきた。

少々慌ただしい一回だったが、それだけ彼女も催していて、快感は充分過ぎるぐらい大きかったようだ。

まだ膣内が名残惜しげにキュッキュッと息づき、彼自身は過敏にヒクヒクと内部で幹を震わせた。

そして互いの動きが完全に停まると、文夫は江利香の悩ましい吐息で鼻腔を満たしながら、うっとりと快感の余韻に浸り込んでいったのだった。

やがて呼吸を整えると、江利香がそろそろと身を起こした。

「さあ、じゃお風呂に入ってくるわね」

「うん、僕も帰ってからシャワーを浴びる。明日の朝にまた来るから」

江利香が言い、文夫が答えると彼女はベッドを降りて部屋を出て行った。

彼もティッシュでペニスだけ拭い、少し身を投げ出していると、すぐ江利香の慌ただしい声が聞こえてきたのだった。

5

「大変、二人がいないわ……」

「え……？」

廊下から江利香が言い、文夫も驚いて起き上がった。

そして手早く身繕いしながら部屋を出ると、江利香が仏間の前に立ち尽くしているではないか。

仏間を覗き込むと、二人分の布団は敷かれているが、母娘の姿はない。

「まさか、過去へ戻っちゃったのかしら……」

「さあ、一応探してみよう」

文夫が言うと、江利香は各部屋を見て、

「芙美子さん、理恵ちゃん……」

と呼んで回った。

文夫は念のため仏間に入り、押し入れも調べてみたが二人はいない。

しかし室内には、母娘の甘ったるい匂いが立ち籠めたままだ。

そのとき、ふと文夫は目眩を起こし、ドサリと畳に座り込んだ。

（え……？）

彼も数秒で我に返ったが、仏間の中を見回した。

すると鴨居には軍人の写真が飾られ、窓には白い紙テープが縦横に張り巡らされているではないか。

映画で観たことがあるが、これは空襲に備え、ガラスが飛び散らないようにする工夫である。

（ま、まさか、ここは昭和十八年……？）

文夫は目を丸くし、サッシではない窓ガラスの隙間からアパートの方を見たがそこには広い庭が広がっているだけだ。

するとそこへ芙美子と理恵が入ってきたのである。

二人とも、江利香に借りた寝巻代わりの浴衣姿だった。

「まあ、いきなり元の時代に戻ったかと思ったら、文夫さんまで来てしまったのね……？」

芙美子が目を丸くして言い、理恵も驚いて彼を見つめていた。

どうやら、文夫が目眩で座り込んだ物音を聞きつけ、二人が来てくれたようだった。

「困ったわね。来た以上また戻れるのだろうけど。それに江利香さんへのお礼も言っていないし」

芙美子が言い、とにかく仏間の押し入れを開けた。

今は夜で、どうやら現代と同じ時間帯のようである。

「やっぱり、仏間が二つの時代を行き来する場所のようだから、ここに寝てもらうのが良いわね」

芙美子は言い、布団を敷いてくれた。

文夫は力なく布団に座り込んだ。

「ど、どうしよう、いきなり僕まで消えてしまったんで、江利香さんを心配させてしまう……」

彼は言い、とにかく二人に事情を訊いた。

「二人で横になってお話ししていたら、急に天井が回るような気持ちがして、気がついたら、お布団も敷かれていないこの仏間に二人で倒れていたの」

芙美子が言い、理恵も頷いている。

「それでお部屋を見て回ったら、すっかり元の世界になっているので驚いていたのよ」

「そうですか。じゃ、いつどんな切っ掛けで行き来できるのかは全く分からないですね……」

文夫は不安げに言った。現代と違い、この時代では文夫がフラフラと一人で出歩くわけにはいかないだろう。

坊主頭ではないし、仕事も持っていないのだから、憲兵や婦人会にでも見つかったら面倒なことになる。

「大丈夫。ここは私たち二人しかいないし、恩返しに文夫さんが戻れるまで匿うことにするから」

芙美子が言う。してみると亡夫の両親なども、すでにいないようだ。

「ええ、私も兄様がいてくれて嬉しい」

理恵も顔を輝かせて言った。

「ただ、昼間は通いのお手伝いが来るの。私の後輩の女性なのだけど」

芙美子が言った。

確かに芙美子は教員だから女学校に通わなければならないし、理恵は工場で忙しい。それで家事の手伝いを雇っているようだ。

「その人とは明日にも会うことになるけど、文夫さんは私の遠縁の男の子ということにするわ。さして詮索するような人じゃないから安心して」

言われて、文夫は自分の立場をどのように設定しようかと頭を悩ませた。

五年制の旧制中学を出て、国許から仕事を求めて上京したことにするか。

しかし仕事探しに外出も出来ないから、不審に思われるだろう。

「体が弱く、部屋で伏せっているということにすればいいわ。いつまでか分からないけど、そんなにかからず戻れると思うし」

「ええ、では大学の寮にいたけど、療養のため出てきたと言えばいいですね」

「それがいいわ」

理恵も頷いた。

何しろ母娘は昼間出てしまうので、文夫は一番その人と多く顔を合わすことになりそうである。

「とにかく、その服じゃ駄目だから、うちの人の寝巻とシャツやズボンを出しておくわ。背丈も同じぐらいだし、文夫さんの方が少し痩せているから着られると思う」

芙美子は言い、部屋を出てまずは寝巻を出してきてくれた。

ついでに文夫も仏間を出て、昭和十八年の田代家の中を見て回った。

もちろんテレビも冷蔵庫もなく、風呂場は小判型の風呂桶があり、台所はタイルの流しで、トイレは汲み取りだ。

裏には井戸があり、盥と洗濯板があった。

茶の間には卓袱台に茶簞笥、確かに壁のカレンダーには皇紀二千六百三年（昭和十八年）とある。

「ここが私のお部屋」

理恵が自分の部屋に案内してくれると、そこは奇しくも現代の江利香の部屋と同じ場所だ。木の机に椅子と本棚、あとはベッドではなく布団を上げ下げするらしい。

母娘が現代へ来たときに着ていた服は、あちらへ置いてきてしまったが、裕福な家なので着替えは多く持っているだろう。

「とにかく、いま着ているものを脱いで、寝巻に着替えて」

仏間に戻ると芙美子が言い、文夫も全て脱いだ。

すると芙美子がT字帯のような越中褌(えっちゅうふんどし)を出してくれ、彼は股間に着け、寝巻を羽織って帯を締めた。

彼が脱いだものは、芙美子が風呂敷に包んで仏間の押し入れに隠した。

ポケットにはスマホと財布が入っているが、この時代では使えない。

「さあ、じゃ全ては明日ということにして、今夜は寝ましょう」

芙美子が言い、文夫も大人しく布団に横になった。

理恵は自分の部屋へ、芙美子は亡夫との寝室に入ったようだ。

もちろん文夫はすぐには寝つけなかった。

元の時代に戻れた興奮と安堵で、芙美子や理恵がこの部屋に忍んでくるとも思えない。

薄暗い中に、鴨居の額にある軍人の顔が見えた。

あれが海軍中佐、田代源太だろう。

彼は、自分の遺した妻や娘を文夫に抱かれ、怒っているのではないか。

そんなことを思いながらも、いつしか文夫はぐっすりと深い睡りに落ちていったのだった……。

第四話　人妻の甘い母乳を

1

（あ、そうだ、ここは昭和十八年か……）

明け方、目を覚ました文夫は暗い仏間で目を覚まして思った。

まだ夜明け前で、芙美子と理恵はそれぞれの部屋で眠っているのだろう。

とても不安で二度は眠れず、彼は身を起こした。東の空が白みはじめ、次第に目が慣れて仏間の中が見えるようになってきた。

（江利香さん、心配してるだろうな）

文夫は思い、思わず仏間の押し入れを開け、風呂敷に包んだ未来の服を取り出した。

そしてポケットからスマホを出して見ると、何と江利香からのメールが入っているではないか。

『どこに行ったのよ』

開いて見ると、江利香から焦ったような一文が書かれていた。

いきなり母娘に続いて、文夫まで姿を消したから心配しているのだろう。

念のため彼も、

『僕まで昭和十八年に戻っちゃった』

と、返信しておいた。

（待てよ。僕が消えてから江利香さんが出したメールが、何で過去の世界に届いているんだろう……）

文夫が小首を傾げていると、何と、すぐにもスマホが振動したのである。メールではなく電話だ。

文夫は慌ててスマホを耳に当てた。

「文夫君？　どうしちゃったの」

江利香の声が鮮明に聞こえてきたではないか。

多少疲れた声なのは、あまり眠れなかったからかも知れない。

「いま昭和十八年の仏間にいる。どうしてスマホが通じるんだろう……」

文夫は囁き声で答えたが、母娘の部屋は遠いので聞かれることはないだろう。

「ふうん、もしかしたら仏間に時空の穴があって、そこから電波が通じ合うのかも知れないわね」

「うん、とにかく三人とも無事なので、近々戻れると思う」

「そうね、そっちじゃ充電できないだろうから切るわね。また緊急の時に」

江利香が言い、とにかく三人が無事だったので安心したように通話を切った。

文夫もスイッチを切り、元通りポケットに入れて風呂敷に包んだ。

すると奥から、母娘が起き出す物音が聞こえてきたので、彼は慌てて風呂敷包みを押し入れに戻した。

目覚ましの音も聞こえなかったのに、やはり母娘は朝が早いようだ。

間もなく朝日が射し、母娘は竈（かまど）に火を入れて飯を炊き、味噌汁の仕度もしているようで、トントンと何か刻む音も聞こえてきた。

僅かな未来の生活で楽をしたとはいえ、この時代ではいつも通りの朝の仕度をしているのだろう。

文夫も起き上がり、芙美子の亡夫の浴衣を直して仏間を出た。

「おはようございます」

「ああ、良かった。いなくならないで」

彼が挨拶すると、理恵が笑窪を浮かべて答えた。彼女は新しいモンペを穿いている。

「朝ご飯、もう少し待っててね」

和服姿になった芙美子が言い、二人とも元の時代に戻って生き生きしているようだ。

文夫は汲み取りトイレで用を足してから裏の井戸端で顔を洗い、理恵にもらった歯ブラシで歯を磨いた。歯磨き粉は正に粉だ。

やがて朝食の仕度が出来たので、文夫も卓袱台を前にして座った。

飯に南瓜(かぼちゃ)の味噌汁に漬け物と梅干しだが、実に旨かった。

「八十年後の食事とは違って粗末だけど」

「いいえ、すごく美味しいです」

彼は芙美子に答え、飯をお代わりして漬け物と味噌汁で朝食を終えた。

「いい？　理恵、お友達に八十年後に行ったことなど言わないように」

「間もなくお手伝いの美保(みほ)さんが来るけど、文夫さんも横になって、病気のふりをしていてね」

芙美子が言い、理恵も答えた。

「ええ、分かってるわ」

「ええ、楽して申し訳ないけど、そうします」

やがて茶を飲むと、文夫は仏間に戻って浴衣姿で布団に横になった。

そして芙美子と理恵が出かける仕度をしていると、誰かが訪ねて来た。きっとお手伝いの美保という人なのだろう。

間もなく母娘が仏間を覗き、

「じゃ私たちは出かけるわね。どうか安静に」

芙美子が美保にも聞こえるように言い、理恵も頷きかけて出ていった。

芙美子は女学校の教師として、理恵は女子挺身隊で工場の仕事だ。

二人が出ていくと、それを見送った美保が仏間に入ってきた。

「梶原(かじわら)美保です。遠縁の文夫様ですね？」

モンペ姿のきりりとした美女が言い、彼の枕元に座った。

「はい、お世話になります」

文夫も答えながら、二十代後半らしい美保を見た。黒髪を後ろで引っ詰め、質素な服装だが眉が濃く、切れ長の目がきつい。

士族の娘というより、何やら野性的なくノ一のような雰囲気である。

細身に見えるが胸は豊かだった。

「体調を崩して、学校の寮から、ここへ移られたそうですね」

「ええ……、この非常時に情けないことです」

芙美子から話を聞いていたらしい美保に言われ、文夫も冷や汗をかきながら何とか話を合わせて答えた。

「確かに、色白で手足も細いですね」

美保は言い、手拭いでそっと彼の額の脂汗を拭ってくれた。

「私は芙美子先生の後輩で、女学校では生徒に薙刀(なぎなた)を教えていました。今は所帯を持ち、夫は戦地に行き、私はここでお手伝いをしております」

美保が自己紹介をした。話では、三つ上の夫は大陸へ赴き、陸軍兵長として戦っているようだ。

確かに美保は、隙の無い様子から、薙刀が似合いそうである。

彼女が近くにいると、芙美子とは微妙に違う甘ったるい匂いが生ぬるく漂って、その悩ましい刺激が文夫の鼻腔から股間に妖しく伝わってきた。

「では、お昼になったら食事をお持ちしますので、それまでゆっくりお休み下さいませ」

辞儀をして美保が立ち上がり、静かに仏間を出ていった。

文夫が残り香を味わっていると、間もなく掃除する物音が聞こえてきた。もちろん掃除機などはなく、ハタキと箒、そして雑巾がけである。

それを聞きながら文夫はウトウトした。江利香とスマホで話したいが、電池を温存しなければならないし、彼女も大学に行ったことだろう。

やがて仏間で時間を潰し、昼になったらしくどこかからサイレンが鳴り、彼は起きてトイレに行った。

そして仏間に戻ると、美保が昼食のおじやを持って来てくれた。もちろん文夫も病人の振りだから献立に贅沢など言えないし、それほど食欲もなかった。

美保は出てゆき、自分も軽く昼食を済ませたようだ。

そして文夫が食事を終える頃、美保が茶を持って入って来た。

「ご馳走様でした」

「まあ、全部空にしたわね。偉いわ」

彼が言うと美保は答え、空の食器を盆に載せた。

そして文夫が茶をすすると、いきなり美保が胸を押さえて突っ伏したのである。

2

「ど、どうしました……」

文夫は驚き、空の湯飲みを盆に載せて美保に屈み込んだ。

「だ、大丈夫です。お乳が張って苦しいけど、少しじっとしていれば……」

美保は気丈に言うが脂汗が滲んで、さらに濃厚に甘ったるい匂いを生ぬるく漂わせていた。

あとで聞くと、戦地にいる夫は婿養子で、美保は近くにある実家で赤ん坊を親に任せ、ここへ働きに来ているらしい。

「も、もしかして吸い出したら楽になるのでは……?」

「そ、そんなこと、坊っちゃんにさせられません……」

美保は言うが、吸い出して治るのならと文夫は股間を熱くさせながら迫った。

「どうか遠慮しないで」

文夫が肩を抱いて言うと、美保もようよう身を起こし、ブラウスのボタンを外してウエストから裾を引っ張り出した。吸ってもらおうというよりも、緩めた方が楽になるからだろう。

ブラウスを左右に開くと胸には晒しが巻かれていたが、これはどうやら乳漏れを防ぐためらしい。

美保が晒しも解いていくと、甘い匂いが濃く解放され、豊かな乳房が露わになった。濃く色づいた両の乳首の先端からは、白濁の母乳が滲み、トロリと雫が乳房の膨らみを伝い流れた。

彼女に最初から感じていたのは母乳の匂いだったようだ。

文夫は甘ったるい匂いに吸い寄せられるように顔を寄せ、チュッと乳首に吸い付いていった。

「アア……」

美保が熱く喘ぎ、そのまま横になると、ちょうど彼に腕枕するような形になった。文夫は貪るように吸い付き、張りのある膨らみに顔中を押し付けて、濃厚に甘ったるい匂いに包まれた。

淫気を湧かせて襲いかかったら、気の強そうな美保の反撃に遭っただろうが、今は苦痛を和らげるという名目があるし、実際楽になるようで美保もじっと息を詰めていた。

何度か吸ううち、唇で乳首の芯を挟むようにすると分泌が促されることを知った。生ぬるく薄甘い母乳が舌を濡らし、要領を得ると彼は夢中で吸った。

「ゆ、湯飲みに吐き出して下さい……」

美保が、吸われることを受け入れて言ったが、文夫は構わず飲み込んで、うっとりと喉を潤してしまった。

あらかた出尽くすと、心なしか張りが和らいだようだった。

もう片方に口を寄せると、美保が仰向けになってしまった。

「の、飲んでしまったのですか……」

「ええ、僕の虚弱には効くことでしょう」

彼は答え、もう片方の乳首を含んで吸い付き、甘ったるい匂いで鼻腔を刺激されながら母乳を味わった。

乱れたブラウスの中から、母乳とは微妙に異なる汗の匂いも感じられ、いつしか文夫は痛いほど股間を突っ張らせていた。

「アア……！」

吸い出すと美保が熱く喘ぎ、吐息が肌を伝って彼の鼻腔をくすぐった。それはシナモンに似た刺激を含んで、悩ましく鼻腔を搔き回してきた。美保は両手で彼の顔を抱き寄せ、指で髪を搔き回していた。どうやら苦痛が去っていくと、別の刺激にクネクネと身悶えはじめてきたようだ。

吸い出しながらうっとりと喉を潤していると、次第に出なくなって張りも和らぎ、彼女の肌の強ばりも解かれていった。

ようやく文夫が口を離すと、美保はハアハア息を弾ませ、豊かな乳房を大きく起伏させていた。

「お、お願いです。最後までして、誰にも内緒で……」

美保が薄目で文夫を見上げて言う。どうやら完全に、彼女の淫気に火が点いてしまったようだ。

「せ、戦地にいるご主人に、申し訳ないのでは……？」

「構いません。出生を前に、ろくに知らない相手と慌ただしく見合いしただけですし、先月に帰国したときに交わったので、坊っちゃんの子を孕んでも、どちらの子か分かりませんので」

美保が熱っぽく大胆に言う。身持ちが堅そうな印象だったが、それ以上に欲求が溜まりきっているのだろう。

　それに、まだ夫とは長く一緒に暮らしていないので、それほど愛情は湧いていないのかも知れない。しかも美保でも戦地の敗色が濃くなっていることを知り、夫が生きて戻らない覚悟もしているに違いない。

　どちらにしろ、いつの時代でも女性の方が強かなのだろう。

　もちろん彼にとっては、願ってもない展開である。

「分かりました。じゃ脱ぎましょう」

　文夫が言うと、美保も半身を起こして乱れたブラウスを脱ぎ去り、腰を浮かせてモンペと下着まで下ろしてしまった。

　文夫も帯を解いて浴衣を脱ぎ、下帯も取り去った。

　あらためて全裸で仰向けになった美保にのしかかり、左右の乳首を舌で転がしてから、腋の下にも鼻を埋め込んでいった。

　色っぽい腋毛に鼻を擦りつけて嗅ぐと、やはり微妙に母乳とは違う甘ったるい汗の匂いが濃厚に籠もり、彼は噎せ返りながら夢中で貪った。

　そして滑らかな肌を舐め降り、臍を探り、腰の丸みから逞しい脚を舌でたどっていった。

腟にはまばらな体毛があり、足裏まで行って舌を這わせ、太くしっかりした足指の間に鼻を割り込ませて嗅ぐと、そこはやはり汗と脂に湿り、ムレムレの匂いが濃く沁み付いて鼻腔が刺激された。

淫気は強そうだが美保はじっと身を投げ出し、されるままになっているので、やはりこの時代の女性は男に全て任せてしまうものなのだろう。

文夫は蒸れた匂いを味わってから、爪先にしゃぶり付いて順々に足指の股に舌を潜り込ませて味わった。

「あう、何を……」

美保が驚いたようにビクリと反応して呻いたが、拒むことはしなかった。彼は両足とも味と匂いを貪り尽くし、股を開いて脚の内側を舐め上げていった。

ムッチリと張りのある内腿をたどって股間に迫ると、そこは熱気と湿り気が渦巻くように籠もっていた。

茂みは濃い方で、下の方は愛液に濡れ、指で陰唇を広げると、息づく膣口からは母乳に似た白濁の本気汁が溢れていた。

クリトリスは親指の先ほどもある大きなもので鈍い光沢を放ち、まるで幼児のペニスのような突起が愛撫を待ってツンと突き立っていた。

「ああ、見ないで、早く入れて下さい……」

彼の息と視線を感じて美保が喘いだが、もちろんすぐ挿入なんて勿体ないことはせず、文夫は顔を埋め込んでいった。

柔らかな茂みに鼻を擦りつけ、隅々に蒸れて籠もる汗とオシッコの匂いを貪り舌を挿し入れて柔肉を掻き回した。

淡い酸味のヌメリを探り、息づく膣口から大きなクリトリスまで舐め上げていくと、美保が内腿でキュッときつく彼の両頰を挟み付けてきた。

3

「アアッ……、駄目……！」

美保が顔を仰け反らせて喘ぎ、白い下腹をヒクヒクと波打たせて悶えた。

文夫は割れ目の味と匂いを存分に堪能してから、彼女の両脚を浮かせて白く丸い尻に迫った。

谷間の蕾は、出産で息んだ名残かレモンの先のように突き出た艶めかしい形をしていた。鼻を埋めると顔中に弾力ある双丘が密着し、蕾に籠もった秘めやかな匂いが鼻腔を刺激してきた。

嗅いでからチロチロと舌を這わせ、ヌルッと浅く潜り込ませて滑らかな粘膜を探ると、甘苦い刺激が感じられた。

「あう……！」

美保が呻き、キュッときつく肛門で舌先を締め付けてきた。

文夫が中で舌を蠢かせると、鼻先にある割れ目からトロトロと白っぽい愛液が漏れてきた。ようやく脚を下ろし、ヌメリを舐め取りながら再びクリトリスに吸い付き、指を膣口に入れて内壁を擦ると、

「あう、駄目、いきそう……、アアーッ！」

美保が声を上ずらせ、膣口で指を締め付けながらガクガクと痙攣を開始した。

どうやら、あっという間にオルガスムスに達してしまったようだ。今まで夫とは、恐らく挿入するだけの淡泊な行為だったのだろう。

「も、もう堪忍……！」

嫌々をして腰をよじるので、ようやく彼も股間を這い出して添い寝し、喘ぐ口に唇を重ねていった。

「ンンッ……！」

舌を挿し入れると、美保は熱く呻きながらネットリと舌をからめ、激しく吸い付いてきた。文夫も彼女の息で鼻腔を湿らせながら舌を蠢かせた。

すると美保が手を伸ばし、彼の強ばりに触れてきたのだ。

彼が愛撫に身を任せながら仰向けになっていくと、美保も心得たように口を離し、顔を移動させていった。

「こんなに勃って……」

顔を寄せて囁き、幹をニギニギしながら先端に口を寄せてきた。どうやらフェラチオは夫にもしていたらしい。

文夫は身を投げ出して大股開きになると、彼女も真ん中に腹這い、幹の裏側をゆっくり舐め上げてきた。

滑らかな舌が先端まで来ると、美保は幹を指で支えながら粘液の滲む尿道口をチロチロと舐め回し、そのまま張り詰めた亀頭にしゃぶり付いてきた。

「ああ、気持ちいい……」

スッポリ呑み込まれると、文夫は快感に喘ぎ、美女の口の中でヒクヒクと幹を上下に震わせた。

「ンン……」

美保も喉の奥まで含んで熱く鼻を鳴らし、息で恥毛をそよがせながら幹を丸く締め付けて吸った。

口の中で舌が蠢くたび彼自身は温かな唾液にまみれ、思わずズンズンと股間を突き上げると、彼女も顔を上下させてスポスポとリズミカルに摩擦してくれた。

「い、いきそう……」

すっかり高まった文夫が口走ると、すぐに美保はスポンと口を引き離した。

「入れて下さい……」

頰を上気させて言うので、

「どうか、上から跨いで」

彼は仰向けのまま答えた。

「上なんて、したことないわ……」

言いながらも美保は身を起こして前進し、ぎこちなく文夫の股間に跨がってきた。唾液に濡れた先端に割れ目を押し当て、指で幹を支えながら位置を定めると息を詰めてゆっくり腰を沈み込ませた。

張り詰めた亀頭が潜り込むと、あとはヌメリに任せヌルヌルッと滑らかに根元まで受け入れると、

「アアッ……、奥まで感じる……」

美保が顔を仰け反らせて喘ぎ、ピッタリと股間を密着させて座り込んだ。文夫も、肉襞の摩擦と温もり、潤いと締め付けに包まれながら快感を噛み締めた。

上体を反らせていた美保がグリグリと股間を蠢かすと、揺れる乳房からまた新たな母乳が滲んできた。

文夫は両手を回して抱き寄せ、両膝を立てて尻を支えた。

「顔にお乳をかけて」

下から言うと、美保も興奮に任せて胸を突き出し、指で乳首を摘むと彼の顔に母乳を垂らしてくれた。

ポタポタと滴る母乳を舌に受けると、さらに乳腺から霧状になった分も顔中に降りかかり、文夫は生ぬるく甘ったるい匂いに酔いしれた。

そしてズンズンと股間を突き上げると、

「ああッ……、いい気持ち……」

美保が喘ぎ、完全に上から覆いかぶさってきた。

「舐めて……」

顔を寄せてせがむと美保も舌を伸ばし、母乳に濡れた彼の顔中を舐め回してくれた。

滑らかな舌のヌメリと、シナモン臭の吐息で鼻腔を刺激され、彼も興奮を高めて突き上げを強めていった。

舌をからめ、生温かな唾液をすすって動き続けると、膣内の収縮と潤いも格段に増してきた。

「ああ、いきそう……！」

美保が激しく腰を遣いながら喘いだ。やはりさっき指と舌で果てるより、こうして一つになった快感は格別なようだ。

文夫は美保の唾液をすすって喉を潤し、彼女の口に鼻を押し込んで濃厚なシナモン臭の吐息で胸を満たしながら、激しく絶頂に達してしまった。

「い、いく、気持ちいい……！」

彼は快感に口走り、熱い大量のザーメンをドクンドクンと勢いよくほとばしらせた。

まさか八十年もの過去の世界で射精するなど、夢にも思わなかったものだ。

「いいわ、アアーッ……！」

すると噴出を感じた美保も声を上げ、再びガクガクと狂おしいオルガスムスの痙攣を開始したのだった。

文夫は股間を突き上げて快感を嚙み締め、心置きなく最後の一滴まで出し尽くしてしまった。

「ああ……」

すっかり満足しながら声を洩らし、徐々に突き上げを弱めていくと、

「すごいわ、こんなに気持ち良かったの初めて……」

美保も声を洩らして肌の強ばりを解き、グッタリと力を抜いてもたれかかってきた。

文夫は美人妻の重みと温もりを受け止め、まだ息づく膣内でヒクヒクと過敏に幹を震わせた。

そして彼女の喘ぐ口に鼻を押し付け、熱く湿り気ある濃厚な吐息を嗅ぎながらうっとりと余韻を味わったのだった。

やがて重なったまま呼吸を整えると、ノロノロと美保が身を起こしたので、文夫も起き上がり、全裸のまま一緒に裏の井戸端へと行ったのだった。

4

「ね、どうか芙美子先生と理恵ちゃんには内緒にして下さいね」

葦簀に囲まれた井戸端で身体を流しながら、美保が言った。

「ええ、僕の方こそ内緒でないと困ります。それより内緒ついでに、オシッコしてみて下さい」

文夫は、すぐにもムクムクと回復しながら言うと、

「まあ、どうしてそんな……」

美保がビクリと立ちすくんで答えた。

「戦場でジャングルに迷って水がないと、自分の尿を飲むと言いますから、少しだけ経験したいので」

尤もらしいことを言いながら、彼は簀の子に座り込み、目の前に立った美保の片方の足を浮かせて井戸のふちに乗せた。

そして開いた股間に鼻と口を埋めると、濃厚だった匂いは薄れてしまったが舐めると新たな愛液が溢れ、ヌラヌラと舌の動きが滑らかになった。

「アア……、駄目、また感じるわ……」

美保が脚をガクガクさせて喘ぎ、それでも刺激で尿意が高まったように、息を詰めて下腹を強ばらせた。

すると膣内の柔肉が迫り出すように盛り上がって蠢き、味わいと温もりが変わった。

「あう、出る……」

美保が言うなり、チョロチョロと熱い流れがほとばしってきた。

文夫は舌に受けて味わい、溢れた分を肌に浴びながら温かさに陶然となった。

味と匂いはやや濃いが、心地よく喉を潤すことが出来た。

「アア……、こんなことするなんて……」

美保が放尿しながら喘ぎ、体を支えるため両手で彼の頭に摑まっていた。

あまり溜まっていなかったか、間もなく流れは治まり、ポタポタ滴る余りの雫に、白っぽい愛液が混じって糸を引いた。

彼は残り香の中でそれも舐め取り、大きなクリトリスにチュッと吸い付いた。

「あう、もう駄目……」

美保は言って脚を下ろし、彼の顔を股間から突き放して座り込んでしまった。

文夫はもう一度二人で水を浴び、身体を拭くと仏間に戻った。

「仏間でするなんて、何て罰当たりな……」

あらためてここが仏間だったことを思い出したように、美保が言った。他に空いた客間もあるのに、なぜここで寝起きするのか理解できないようだが、彼女もそれ以上は詮索しなかった。

「ね、また勃っちゃった」

全裸のまま布団に添い寝し、甘えるように言ったが、

「私はもう充分です。動けなくなるので。お口で良ければしします。いっぱいお乳を飲んでもらったので、今度は私が」

美保が答え、そっと幹を指でニギニギと愛撫してくれた。

ペニスの元気の良さに、本当に病人なのだろうかと思ったかも知れないが、やはり美保は何も言わなかった。

「じゃいきそうになるまで指でして」

彼は言いながら、美保に唇を重ねて舌をからめた。

滑らかに蠢く舌を味わい、唾液をすすってから口を離すと、

「唾を出して。いっぱい飲みたい」

「何でも飲みたがるのね」

彼の言葉に苦笑しながら美保が答えた。

そして口を閉じてたっぷりと唾液を溜め、再び唇を重ねると口移しにトロトロと注ぎ込んでくれた。

その間も、微妙なタッチで指の愛撫がペニスに与えられている。

文夫は生温かく小泡の多い唾液でうっとりと喉を潤し、彼女の口に鼻を押し込んで、悩ましい匂いの吐息を胸いっぱいに嗅いで高まった。

「い、いきそう……」

言うと美保も移動し、彼は仰向けの受け身体勢になった。

すると美保は、彼の両脚を浮かせて尻の谷間を舐めてくれたのだ。チロチロと舌先で肛門をくすぐり、自分がされたようにヌルッと潜り込ませてきた。

「あう、気持ちいい……」

文夫は妖しい快感に呻き、モグモグと味わうように美女の舌先を肛門で締め付けた。

彼女も熱い鼻息で陰嚢をくすぐりながら舌を蠢かせてくれ、やがて脚を下ろすと陰嚢を舐め回し、熱い息を股間に籠もらせて二つの睾丸を転がした。

そしてせがむように幹が上下すると、彼女も前進して裏筋を舐め上げ、丸く開いた口でスッポリと喉の奥まで呑み込んでくれた。

「ああ……」

根元まで温かく濡れた美人妻の口腔に包まれ、彼は快感に喘いだ。

「ンン……」

美保も先端で喉の奥を突かれて呻き、たっぷりと唾液を溢れさせながらクチュクチュと舌をからめてくれた。

ズンズンと股間を突き上げると、美保も顔を上下させ、スポスポと摩擦しはじめた。たちまち彼は、全身までかぐわしい美女の口に含まれた心地で、激しく昇り詰めてしまった。

「い、いく……！」

快感に貫かれながら口走ったが、美保は摩擦と吸引を止めなかった。

同時に、ありったけの熱いザーメンがドクンドクンと勢いよくほとばしり、彼女の喉の奥を直撃した。

「ク……」

噴出を受けて呻いたが、なおも美保は強烈な摩擦を止めず、最後の一滴まで吸い出してくれたのだった。

「アア……」

出し尽くして声を洩らし、文夫がグッタリと身を投げ出すと、美保も動きを止めた。そして亀頭を含んだまま、口に溜まったザーメンをゴクリと飲み込んでくれた。

「あう……」

嚥下と同時に口腔がキュッと締まり、彼は駄目押しの快感に呻いた。

ようやく美保がスポンと口を離し、なおも余りを絞るように幹をしごきながら尿道口に脹らむ雫までペロペロと丁寧に舐め取ってくれたのだった。

「も、もういいです……」

文夫はクネクネと腰をよじらせ、過敏に幹を震わせて降参した。

すると美保も舌を引っ込めて顔を上げ、

「やっぱり若いのね。二度も続けてしたのに濃くて多いわ」

言いながらチロリと舌なめずりした。

文夫が身を投げ出して息を弾ませ、余韻を味わっていると彼女が起き上がって身繕いをした。

また胸に晒しを巻いてブラウスとモンペを穿き、

「じゃ、お買い物に行ってきますから、大人しく寝ているのですよ」

スッキリした顔で言って、静かに部屋を出て行った。

やがて玄関が閉まる音がして静かになると、ようやく彼も呼吸を整えて起き、また浴衣を着た。

縦横に紙テープの貼られたガラス窓から外を見て、外に出たいと思ったが、垣根の向こうに割烹着に襷(たすき)を掛けた、恐そうな大日本婦人会のオバサンたちが闊歩していた。

さらに向こうの通りには年代物の車が通り、たまに軍人の姿も見えた。

やはり出ない方が良さそうだ。

文夫は嘆息し、本当の病人のようにまた布団に横になって時間を潰した。

そして日が傾き掛ける頃、美保が帰宅して風呂を焚きつけ夕食の仕度をした。

そして卓袱台に料理を載せると布巾を掛け、

「じゃ私は帰ります。もう間もなく二人も帰ってくるでしょう」

仏間を覗いて彼に言った。

「ええ、お疲れ様でした。じゃまた明日」

文夫も答え、すぐ美保も帰っていった。

5

夕方、帰宅した理恵が、夕餉を囲んで文夫に訊いてきた。芙美子も座り、飯をよそってくれた。

「美保さん、恐くなかった？」

「うん、恐くないよ。良くしてくれて、優しく食事を運んでくれた」

「そう、薙刀を教えるときは、鬼のようでみんな怖がってたのよ」

食事をはじめながら理恵が言う。もちろん理恵も芙美子も、昼間文夫が美保と交わったなど夢にも思っていないだろう。

やがて夕食を終えると、文夫は風呂を進められたが遠慮し、一番疲れているであろう理恵に先に入ってもらった。

その間、芙美子は後片付けをし、文夫はテレビもないので仏間で休憩した。

そして理恵が上がって部屋に戻ると、入れ替わりに文夫が入浴した。

風呂場には湯気とともに思春期の体臭が甘ったるく立ち籠め、思わず股間が疼いてしまった。

彼は理恵が浸かった湯に身を沈め、上がると石鹸で泡立てた糸瓜で体を擦り、髪も石鹸で洗った。

再び湯に浸かって歯磨きすると、たまに薪の爆ぜる音がして、何やら地方にでも旅行して古い宿にでもいる気分になった。それでもここは品川であり、周囲には八十年前の人たちが生活しているのである。

風呂から上がって身体を拭き、芙美子が用意してくれた新しい下帯と浴衣を着て風呂場を出た。

「ぬるくなかったかしら」

「ええ、ちょうど良かったです」

芙美子に答え、仏間に戻ると彼女も一緒に入って来た。

「少しだけいいかしら」

芙美子が目を輝かせ、淫気を満々にして迫ってきた。どうやら入浴する余裕もないほど高まり、彼にとってもナマの匂いが味わえるのは嬉しかった。

「り、理恵ちゃんは大丈夫かな……」

「覗いたら、もうぐっすり眠っていたわ」

芙美子が答えてすぐに脱ぎはじめたので、文夫も手早く全裸になって布団に横になった。

「不安でしょうけど、辛抱してね。必ず先の世界に帰れるでしょうから」

芙美子が言いながら、たちまち一糸まとわぬ姿になった。

確かに、令和の世に来てしまった母娘も不安だったことだろう。

「ね、足を顔に乗せて……」

文夫は激しく勃起しながらせがんだ。

「まあ、そんなこと出来ないわ」

「少しでいいから、ここに立って」

顔の横を指して言うと、芙美子もそろそろと迫ってきた。そして壁に手を付いて体を支えると、片方の足を浮かせた。

「こう……？」

そっと足裏を彼の顔に乗せて言い、芙美子はガクガクと膝を震わせた。

「ああ、気持ちいい……」

彼は美熟女の足裏を顔に受けて喘ぎ、舌を這わせて指の股に鼻を割り込ませ、一日中働いて蒸れた匂いを貪った。

「アア、変な気持ち……」

芙美子も息を弾ませ、指先で彼の舌を摘んだ。

文夫も汗と脂の湿り気をうっとりと味わい、足を交代してもらい、新鮮で濃厚な味と匂いを吸収したのだった。

「顔を跨いでしゃがんで」

口を離して言うと、もう彼女もためらわずに文夫の顔に跨がり、用でも足すようにゆっくりしゃがみ込んできた。

肉づきの良い脚がM字になると、さらに白い内腿がムッチリと張り詰め、熟れた割れ目が鼻先に迫った。

豊満な腰を抱えて引き寄せ、黒々と艶のある茂みに鼻を埋め込んで嗅ぐと、生ぬるく蒸れた汗とオシッコの匂いが濃厚に胸を満たしてきた。

文男は何度も吸い込んで鼻腔を刺激されながら、舌を挿し入れてクチュクチュと膣口を掻き回した。

すでに柔肉は愛液が大洪水になり、淡い酸味のヌメリが舌の動きを滑らかにさせた。

理恵が生まれ出た膣口を探ってから、滑らかな柔肉をたどってクリトリスまで

舐め上げると、

「アアッ、いい気持ち……！」

芙美子が熱く喘ぎ、思わずキュッと彼の顔に座り込んできた。

それでも、さすがに理恵を慮って喘ぎ声はかなりセーブしているようだ。

文夫は味と匂いを堪能してから、白く豊かな尻の真下に潜り込んだ。

顔中に双丘を受け止め、谷間の蕾に鼻を埋めて嗅ぐと、生々しく蒸れた匂いが鼻腔を刺激し、彼は心地よい窒息感を覚えた。

充分に嗅いでから舌を這わせ、細かに収縮する襞を濡らし、ヌルッと潜り込ませて滑らかな粘膜を味わうと、

「あう、駄目……」

芙美子が呻き、キュッときつく肛門で舌先を締め付けてきた。舌を蠢かせると割れ目から愛液が滴り、彼の顔を濡らしてきた。

「も、もう駄目よ、交代……」

芙美子がビクッと腰を上げて言い、仰向けの彼の上を移動して屈み込み、張り詰めた亀頭をパクッとくわえてきた。

そして先端に舌を這わせてからモグモグとたぐるように喉の奥まで呑み込み、

幹を締め付けて吸い、熱い息を股間に籠もらせた。

「ンン……」

芙美子は熱く鼻を鳴らして舌をからめ、充分に唾液にまみれさせると、彼が危うくなる前にスポンと口を離した。

「入れたいわ」

「ええ、跨いで下さい」

彼女が言うので、文夫も仰向けのまま答えた。どうしても美女の重みを感じて顔を仰ぎたいので、すっかり女上位が好きになってしまったのだ。

すると芙美子も前進して跨がり、先端に濡れた割れ目を押し当て、ゆっくり受け入れながら股間を密着させていった。

同じ日に二度、年上の美女に組み敷かれるのも乙なものである。

「アアッ……、いい……」

ヌルヌルッとはめ込み、股間を密着させながら芙美子が喘いだ。

彼も肉襞の摩擦と温もりを味わい、両手を伸ばして美熟女を抱き寄せた。

そして潜り込んで左右の乳首を含んで舐め回し、顔中で巨乳を味わった。もちろん腋の下にも鼻を埋め込み、腋毛に籠もった濃厚に甘ったるい汗の匂いに噎せ返った。

「ああ、いい気持ち……」

芙美子が言い、すぐにも自分から腰を遣いはじめ、上からピッタリと彼に唇を重ねて舌を挿し入れた。

文夫も舌をからめながら股間を突き上げると、たちまち互いの動きが一致し、ピチャクチャと淫らに湿った摩擦音が聞こえてきた。

「アア、いく……！」

芙美子が口を離し、淫らに唾液の糸を引きながらガクガクと狂おしい痙攣を開始した。文夫も、濃厚な白粉臭の吐息を嗅ぎながら股間を突き上げ、心地よい摩擦に包まれて昇り詰めてしまった。

「く……！」

彼はありったけの熱いザーメンをほとばしらせながら、心の片隅で、本当に未来へ帰れるのだろうかと思ったのだった……。

第五話　時空を越えた快楽

1

「もし急に僕がいなくなっても、心配しないで下さいね」

朝食のとき、文夫は芙美子と理恵の母娘に言った。今朝も漬け物に梅干しと味噌汁だが実に旨い。

「ええ、分かってるわ。いきなりのお別れは辛いけど、私たちはそれぞれの時代の人間なのだから、姿が見えなければ、それで無事に未来へ戻れたと安心することにします」

芙美子が言ってくれ、理恵も寂しげな顔を浮かべながらも小さく頷いた。

「ただ問題は、美保さんがいるとき急に僕が消えてしまったら」

「そうね。急にいなくなっても心配しないように言うけど、何と説明すれば」

芙美子が言うと、理恵が顔を上げて口を開いた。

「軍の御用を言いつかって、いきなり極秘で移動するというのは？」

「病気なのに？」

「それも周囲を欺くための嘘で」

「うん、実際には普通に動けるのだから、それでいいかも。軍の秘密なら、なおさら美保さんも詮索しないだろうから」

芙美子も言い、あとで美保が来たら、それとなく言っておくことにしたようだ。

それでも文夫は、今日にも令和へ帰れるという保証はないのである。

「もし僕がいなくなったら、二人ともあまり仏間に出入りしない方がいいかも。時間の抜け穴が現れるのは、実に気まぐれみたいだから」

「そうね、そうするわ」

芙美子が言い、理恵も頷いた。

やがて朝食を終えると母娘は片付けを済ませ、出かける仕度をした。その間、文夫は厠と歯磨きを済ませた。

文夫は仏間へ引き上げると、期待を込めて押し入れの風呂敷包みを枕元に出しておいた。

中には令和の服や財布、スマホなども入っているので、これを置いて未来へ帰るわけにいかないから、常に近くへ置いておきたかったのだ。

やがて玄関が開き、美保が来たようだ。

すると芙美子は茶の間で、さっき打ち合わせたことを美保に話したらしい。

そして母娘が仏間に顔を出し、

「じゃ行ってきます」

文夫に言った。

特に理恵は、本当にこのまま彼が消えてしまうことを思ってか、かなり名残惜しげな表情をしていた。

「ええ、行ってらっしゃい」

文夫が答えると、母娘は家を出ていった。

今日も芙美子は女学校での教職、理恵は工場の勤労だ。それこそ仮病で休むわけにはいかないだろう。

そして二人が出ていくと、美保も仏間に挨拶に来た。

「おはようございます。じゃお昼までお掃除しますので」

美保が、特に表情も変えずに言う。仮病だったのかとか、軍の用事とは何なのかとか、何も一切訊くことはしなかった。

単に虚弱な青年でないことを見直したのか、あるいは仮病を詰っているのか、それとも昨日の行為を思い出して気まずいのかも知れない。

そして美保が出ていこうとしたとき、いきなりスマホが鳴りはじめたのだ。しかも風呂敷の布越しに、点滅ランプまで透けて見えてしまっている。

「え……？　何です……！」

美保が驚いて言い、風呂敷の前に座った。

「い、いや……」

文夫は誤魔化そうとしたが、江利香からの緊急の用事かも知れず、美保の前だが急いで包みを開き、スマホを取り出した。

すでに音も点滅も止んでいたが、それは江利香からのメールだった。見ると、

『今日も戻れそうもないかな。じゃ大学に行くわね』

江利香からはその一言だけだった。返事は後回しにし、彼はスマホを切った。

それを美保が鋭い眼差しで見ていた。

「それは何です？　あなたは本当に軍の一員なのですか！」

　咎めるように詰め寄った。

「あ、ああ。極秘なので言えないんです」

「ならば、なぜその機械に英語が書かれているのです！」

　美保が手を伸ばし、スマホを奪おうとしてきた。やはり母娘以上に、ガチガチの軍国主義に浸り、昨日の色っぽさとは打って変わって、正に薙刀の教官という雰囲気だった。

　文夫は、迫る彼女の甘ったるい匂いに興奮することも忘れ、必死に奪われまいと身を縮めた。しかし彼女は、風呂敷包みを間にして、懸命に組み付いてきた。もし奪われたら、そのまま警察か憲兵隊にでも持って行きそうな勢いである。

　と、その時である。いきなり視界が揺れ、

「え？　地震……？」

　組み付いたまま美保も硬直した。

　しかし文夫は、この目眩に似た感覚を覚えていた。

　すぐに視界は元通りになったが、仏間の中が急に明るくなった。

　それはサッシ窓から射す朝日で、その窓には損壊防止用のテープも貼られていないのである。

美保も、室内の異変に気づいたように周囲を見回していた。

「な、何、この窓……」

「うわ、二人で令和に来てしまった……」

美保が声を震わせ、文夫も戻れた喜びより彼女も一緒という面倒に嘆息した。

「と、とにかく仏間を出ましょう。説明はあとです」

文夫は言って立ち上がった。時空の揺り戻しがあるなら、美保だけ仏間に残した方が良いのかも知れないが、何しろ彼女は渾身の力で彼の腕を摑んでいる。

幸い、二人の間にあった風呂敷包みも一緒に未来へ来ていた。

すると美保も恐る恐る立ち上がり、体をくっつけながら仏間を出た。

「まあ……、この部屋は……」

近代的なリビングの様子に目を見張り、美保は声を震わせていた。声だけでなく、この気丈な若妻は全身も小刻みに震わせているではないか。

芙美子と理恵の時は母娘一緒だったからそれほど心細くはなかっただろうが、何しろ美保は一人だし、一瞬スパイと疑った文夫と一緒なのである。

とにかく文夫は、どう説明しようか頭を巡らせながら、何とか美保をソファに彼と並んで座らせたのだった。

2

「ここは、同じく品川にある田代家です。でも時代が違っていて、美保さんが住んでいた時代より八十年後なんです」

文夫は、硬直している美保に言った。

「八十年後……？　そんなまやかしが通ると思ってるの？　じゃここは皇紀何年？」

美保が、じっと彼を睨みながら言う。さっきの未知の機械で、自分を煙に巻こうとしているとでも思っているのだろう。

「ええと、西暦に六六〇足すんだから、今は皇紀二六八三年か。僕はこの世界の人間なんです」

「そんなこと、信じられない！」

美保が言って立ち上がり、勝手に家の中を見て回りはじめた。外へ飛び出さないよう、文夫も必死に彼女を追った。

もちろん江利香は大学へ出かけたので、他には誰もいない。

ブラウスにモンペ姿の美保はキッチンからバストイレ、奥にある江利香の部屋まで覗いてから、再びリビングに戻ってどさりとソファに座り込んだ。

「どういうこと……？　家の造りはほぼ同じなのに、ご不浄もお風呂場も全然違う……」

「とにかく、お茶でも飲んで少し落ち着きましょう」

文夫は言い、人の家だが構わないだろうと冷蔵庫からペットボトルの緑茶を出し、二つの湯飲みに注いでレンジでチンした。

その間、美保も一緒に来て彼の作業を注視していた。

再びリビングに戻って湯飲みを置き、彼女を座らせた。

「温かいわ……」

湯飲みを両手で持って言い、美保は一口飲んだ。

「確かにお茶だわ。お湯も沸かさないのに」

「八十年で、ずいぶん科学が進歩したんです」

「じゃあれから時代がどう移り変わったか知ってるのね。大東亜戦争は、満州や南方はどうなったの！　日本は米英に勝ったの？」

さすがに母娘と違い、美保はいきなり核心を突いてきた。

「見た通り日本は平和で、あの頃よりずっと裕福で便利になり、もう七十年以上どことも戦争はしていないんです」

正確な年数は言わず、彼は答えた。

「そう、じゃ勝ったのね。負けていたら、こんな豪華な家になっているわけないわ。これは何？」

美保は徐々に落ち着きながら、目の前にある大型テレビを指して言った。

文夫がリモコンを付けると、画面にＮＨＫの国会中継が流れた。

「ひい……！」

美保がビクリと震えて声を上げ、横から文夫に密着してきた。

「これが今の総理大臣」

文夫は言い、母娘が来たときのようにチャンネルを変えて、料理番組やワイドショー、時代劇の再放送や幼児番組などを順々に見せてやった。

「何て綺麗な色、こんな映画館みたいな機械がどこの家にも……？」

「そう、さっき僕がいじったのも携帯電話で写真も撮れるんです」

「目が回りそうだわ。消して……」

美保が言い、彼はテレビを消した。

「じゃ本当に、文夫さんは米国のスパイではなく、おかしな機械で私を惑わそうというのではないのね……」

「ええ、僕みたいにひ弱な男にスパイなんか務まるわけないじゃないですか」

「それは確かに……」

言うと美保は、あらためて彼の顔を見つめた。素手で戦っても、美保なら難なく文夫を倒せることだろう。

「では、芙美子先生も……？」

「ええ、芙美子さんも理恵ちゃんも、この世界に来たことがあるんです。そして昭和十八年に戻ったら、なぜか僕まで一緒に行ってしまって、それで病気の居候ということにして、また戻れる時を待っていたんですが、まさか美保さんまで来てしまうとは……」

何て気まぐれなタイムスリップなんだと、心の中で詰りながら彼は言った。

「今のここの当主は……？」

「今は夫婦で海外旅行中です。一人娘がいるけど、今は大学へ行ってます」

「娘が大学に……？　それで文夫さんは？」

「僕はただの大学生で、外にあるアパートに住んでるんです。大家の娘の江利香さんとは仲良しだから、僕も何かとこの家に出入りしてました」

「本当……？　どんな暮らしなのか見たいわ。アパートの部屋を」

美保が言うので、それぐらいの外出なら良いだろうと、二人は茶を飲み干して立ち上がった。

文夫は浴衣姿のままで美保もモンペだが、誰にも会わないだろうからとそのまま、アパートの鍵の付いた財布とスマホだけ持った。

玄関から出ると庭を横切り、アパートに向かった。その間、美保は周囲を見回し、目を丸くしていた。

辛うじて知っているのは家の外観だけで、それ以外は全て違うのだ。広い庭はなくなってアパートが建ち、周囲は近代的な住宅街、さらに遠くにはビルが建ち並んで、行き交う車も見えていた。

「さあ、どうぞ」

鍵を開けてドアを開けると、美保が入ってきて、彼は内側からロックした。

彼女も徐々に落ち着いているだろうし、文夫も淫気を催しはじめている。

それに仏間だと心配だが、自室なら大丈夫だろう。

「こんな裕福な一人暮らしを……」

美保が室内を見回して言う。万年床に机と本棚、あとは狭いながらもキッチンやバストイレがあるのだ。

ノートパソコンは訳が分からないだろうが、棚に並ぶ参考書や辞書などで、彼が大学生ということは分かったに違いない。

彼はスマホを充電器にセットした。

「英語の本が多いということは、やはり米国を占領したのね」

「それより、少しだけ、昨日のように」

文夫は勃起しながら、彼女ににじり寄っていった。昨日といっても、それは八十年前の出来事だ。

すると、もう美保もきつい眼差しはしておらず、それよりは快楽で混乱を紛らわそうとするかのように頷き、一緒に万年床に座ったのだった。

文夫は帯を解いて手早く浴衣を脱ぎ、下着も取り去って全裸になった。美保もモンペとブラウス、下着を脱ぎ、今日も胸に巻いた晒しを解いていくと、濃厚に甘ったるい匂いが立ち籠めた。

彼女もたちまち一糸まとわぬ姿になり、布団に仰向けになって身を投げ出したのだった。

3

「ああ……、明るくて恥ずかしいわ……」

美保が言い、モジモジと身をくねらせた。

窓のカーテンは閉められているが、キッチンの方の窓からは、昼前の明るい陽が射し込んでいる。

見ると豊かな膨らみが息づき、濃く色づいた乳首からは、今日もポツンと母乳の雫が浮かんでいた。

そう、赤ん坊がいるのだから、美保こそ早急に元の世界に戻してやらなければならないだろう。

文夫は屈み込み、チュッと乳首に吸い付いて舌で転がし、顔中で張りのある膨らみを味わった。

「アア……」

昨日と違い、すでに快楽を分かち合っているから、美保も最初から熱く喘ぎ、クネクネと悶えて濃い匂いを揺らめかせた。

しかも昨日、文夫が嬉々として母乳を飲み込んだので、今日は美保も自ら膨らみを揉みしだき、分泌を促してくれた。

文夫は生ぬるく薄甘い母乳を貪り、甘い匂いに酔いしれながらうっとりと喉を潤した。

もう片方の乳首も含んで母乳を吸い出し、充分に味わってから、腋の下にも顔を埋め込んでいった。

色っぽい腋毛には、今日も甘ったるく濃厚な汗の匂いが沁み付き、彼は胸を満たしてから、人妻の肌を舐め降りていった。

腰から脚を舐め降りて脛に行くと、やはり野趣溢れる脛毛が魅惑的で、彼は舌でたどってから足裏を舐めた。

「なぜ、そんなところを、日本男子が……」

美保は、昨日は夢中で朦朧としていたようだが、今日は咎めるように言った。

「身体中全部味わいたいので」

彼は答え、指の間に鼻を押し付けて嗅ぐと、美保も拒みはしなかった。

汗と脂にジットリ湿った指の股は、ムレムレの匂いが濃厚に沁み付いて鼻腔が刺激された。文夫は美人妻の足の匂いを貪り、爪先にしゃぶり付いた。

「あう……！」

指の股にヌルッと舌を割り込ませるたび、美保がビクリと反応して呻いた。

彼は両足とも味と匂いが薄れるほど貪り尽くし、やがて股を開かせて脚の内側を舐め上げていった。

ムッチリと張り詰めた内腿をたどり、股間に迫ると、悩ましい匂いを含んだ熱気と湿り気が彼の顔中を包み込んだ。

溢れた愛液に濡れた陰唇を指で広げると、息づく膣口からは母乳に似て白く濁った粘液が滲みはじめていた。

大きなオサネは今日も愛撫を待つようにツンと突き立ち、男の亀頭のように光沢を放って愛撫を待っていた。

堪らずに顔を埋め込み、茂みに鼻を擦りつけ、濃厚に蒸れた汗とオシッコの匂いに噎せ返りながら舌を這わせていった。

淡い酸味のヌメリを搔き回し、膣口の襞からクリトリスまで舐め上げていくと、

「アアッ……！　いい……」

美保がビクッと顔を仰け反らせて喘ぎ、内腿できつく彼の両頰を挟み付けてき

た。文夫は乳首のように大きなクリトリスに強く吸い付き、舌を這わせながら匂いに酔いしれた。

味と匂いを堪能してから、彼女の両脚を浮かせ、尻の谷間にも迫った。薄桃色の蕾はレモンの先のように突き出て、恥じらうように収縮していた。

蕾に鼻を埋めて嗅ぐと、蒸れた汗の匂いに混じり、微妙なビネガー臭も鼻腔を掻き回してきた。

彼は顔中を双丘に密着させ、充分に嗅いでから舌を這わせ、ヌルッと潜り込ませて滑らかな粘膜を味わった。

「あう、駄目……」

美保が呻き、モグモグと肛門で舌先を締め付けた。

文夫は執拗に舌を蠢かせてから、ようやく脚を下ろし、愛液が大洪水になっている割れ目に舌を戻していった。

ヌメリを掬い取り、再び大きなクリトリスに吸い付くと、

「ゆ、指を入れて……」

美保が腰をくねらせてせがんだ。

文夫もクリトリスを吸いながら、右手の二本の指を濡れた膣口に潜り込ませ、

さらに左手の人差し指にも愛液を付け、蕾に浅く潜り込ませた。

そして前後の穴の内壁を、指の腹で小刻みに擦りながら、なおもクリトリスを舐め回して三箇所を愛撫すると、

「アア、気持ちいい、すごく……」

美保が激しく悶えて言い、それぞれの穴できつく指を締め付けてきた。

文夫は膣内の天井の膨らみを指の腹で擦り、肛門に入った指も出し入れさせるように蠢かせた。

腹這いで両手を縮めているので腕が痺れたが、もう止めようと思うたび美保が激しく喘ぐので、我慢して愛撫を続けた。

「も、もう駄目、アアーッ……！」

たちまち美保が声を上げ、ガクガクと狂おしい痙攣を開始した。どうやら舌と指だけでオルガスムスに達してしまったようだ。

前後の穴がきつく締まり、粗相したほど大量の愛液が漏れていた。

「も、もう堪忍……」

息も絶えだえになって美保が言うと、彼も口を離し、それぞれの穴からヌルッと指を引き抜いた。

「あう……」

三箇所から離れると、彼女は支えを失ったように、声を洩らしてグッタリと身を投げ出した。

膣内にあった二本の指は白っぽい粘液にまみれ、指の腹は湯上がりのようにふやけてシワになり、淫らに湯気さえ立てていた。

肛門に入っていた指も汚れはないが、生々しい匂いが感じられた。

文夫は股間から這い出し、美保の呼吸が整うまで添い寝した。

荒い息遣いを繰り返しながら、彼女は思い出したようにビクッと肌を波打たせていたが、徐々に自分を取り戻してきたように、

「すごく気持ち良かったわ。でも男のものを入れてもらう方がいい……」

熱く囁きながら、手を伸ばして彼の強ばりに触れてきた。

そして彼女が身を起こしてきたので、文夫も仰向けの受け身体勢になった。

美保も、幹をニギニギと愛撫しながら移動し、大股開きになった彼の股間に腹這いになってきたのだった。

4

「すごいわ、こんなに勃って……」

股間からペニスに熱い視線を這わせ、美保が嘆息混じりに言った。

そして先に陰嚢にしゃぶり付き、二つの睾丸を舌で転がしながら、熱い息を股間に籠もらせた。

そして前進し、ヒクつく幹の裏側をゆっくり舐め上げ、先端まで来ると粘液の滲んだ尿道口をチロチロと念入りに舐め回した。

「ああ……」

文夫が快感に喘ぐと、美保は張り詰めた亀頭にしゃぶり付き、ゆっくりと喉の奥まで呑み込んでいった。温かく濡れた口腔に深々と含まれ、彼自身は唾液にまみれてヒクヒクと震えた。

「ンン……」

美保は幹を締め付けて吸い、熱い鼻息で恥毛をくすぐりながら、口の中で満遍なく舌をからめてきた。

さらに顔を上下させ、スポスポとリズミカルな摩擦を繰り返してくれた。

「気持ちいい、いきそう……」

文夫が急激に高まって口走ると、すぐに彼女はスポンと口を離した。

「また上になって入れていい？」

身を起こして言うと、美保は返事も待たず前進して跨がってきた。

自ら指で陰唇を広げ、先端を膣口にあてがうと、若いペニスを味わうようにゆっくり腰を沈み込ませていった。

張り詰めた亀頭が潜り込むと、あとはヌルヌルッと滑らかに潜り込み、彼女の股間が文夫の下腹にピッタリと密着した。

「アアッ……、奥まで届くわ……」

美保が上体を反らせて喘ぎ、キュッキュッときつく締め上げてきた。

彼女は何度かグリグリと股間を擦り付けてから、やがて身を重ねてきたので、文夫も下から両手を回して抱き留め、両膝を立てて尻を支えた。

胸に乳房が押し付けられて弾み、恥毛が擦れ合った。

「何て可愛い……」

美保は彼の肩に腕を回すと、上から近々と顔を寄せて囁き、まだ腰は動かさずにピッタリと唇を重ねてきた。

文夫も密着する感触を味わい、彼女の熱い鼻息で鼻腔を湿らせながら、潜り込んでくる舌を受け入れた。

美保はネットリと執拗に舌をからめながら、徐々に腰を動かしはじめた。

心地よい肉襞の摩擦が幹に伝わり、大量の愛液でたちまち動きがヌラヌラと滑らかになった。

文夫も下からズンズンと股間を突き上げ、温もりと感触を味わった。

「アア……、すぐいきそうよ……」

美保が淫らに唾液の糸を引いて口を離し、熱く喘いだ。湿り気ある吐息は、今日も濃厚なシナモン臭を含み、彼の鼻腔を悩ましく刺激してきた。

文夫もいったん動くと快感で突き上げが止まらなくなり、たちまち二人の動きが一致すると、ピチャクチャと淫らな摩擦音が響いてきた。

「い、いきそう……」

「いいわ、思い切りいって……」

彼が囁くと、美保も快楽の大波を待つように息を詰めて答えた。

文夫は美人妻の口に鼻を押し込み、濃厚な吐息を胸いっぱいに嗅ぎながら激しく股間を突き上げた。

すると美保もヌラヌラと舌を這わせ、文夫の鼻の穴を舐め回しながら収縮と潤いを増していった。

彼は悩ましい唾液と吐息の匂いに酔いしれ、たちまち大きな絶頂の快感に全身を貫かれてしまった。

「い、いく、気持ちいい……！」

口走りながら、ありったけの熱いザーメンをドクンドクンと勢いよく中にほとばしらせると、

「いいわ……、アアーッ……！」

奥深い部分を直撃され、美保も声を上げながらガクガクと狂おしい痙攣を開始した。

やはり舌と指で果てるのとは、格段に違う絶頂を迎えたようだ。

締め付けと摩擦の中、文夫は心ゆくまで快感を味わい、最後の一滴まで出し尽くしていった。

「ああ……」

すっかり満足しながら声を洩らし、徐々に突き上げを弱めていくと、

「す、すごかったわ……」

美保も肌の強ばりを解きながら声を震わせ、力を抜いて遠慮なくグッタリと体重を預けてきた。

まだ膣内は名残惜しげな収縮をキュッキュッと繰り返し、過敏になった幹が中でヒクヒクと跳ね上がった。

そして文夫は美保の重みと温もりを受け止め、熱く濃厚なシナモン臭の吐息を嗅ぎながら、うっとりと快感の余韻に浸り込んでいったのだった。

長いこと重なったまま呼吸を整えると、ようやく美保がノロノロと身を起こした。文夫も起き上がり、互いに全裸のまま立ってバスルームに移動した。

すぐシャワーのお湯を出すと、

「まあ……！」

余韻も吹き飛んだように、美保が目を丸くした。

「どうしてすぐにお湯が……」

「電気とガスで、この世界では薪なんか割らなくてもいいんです」

文夫が言うと、彼女も恐る恐る股間にシャワーの湯を当てて洗った。

彼も身体を流し、二人で身体を拭き合ってバスルームを出ると、すぐ身繕いをした。

　本当はムクムクと回復しそうだったが、とにかくしておかなくてはならないことがあるのだ。

　文夫は充電を終えたスマホで、急いで江利香にメールを送った。

『現代に戻れたけど、田代家に来ている美保さんというお手伝いさんまで来てしまったんだ。とにかく仏間で待機させておくね』

　それだけ打って送信したが、江利香は講義中でスマホを切っているのか、すぐには返信が来なかった。

「じゃ田代家へ戻りましょう」

　文夫は浴衣姿に戻って言い、美保と一緒にアパートを出た。

「町を歩いてみたいわ」

「そ、その格好じゃ無理だから、いずれ今の服に着替えてから……」

　周囲を見回して言う美保に、彼は言ったが、そんなに長く滞在されるのは双方にとって良くないと思ったのだった。

5

「じゃ仏間にいて下さいね」

家へ戻った文夫は言い、美保を仏間に座らせた。そして自分は風呂敷に入っていた現代の服に着替え、脱いだ浴衣や下着を風呂敷に包んで仏間に置いた。

やはり当時のものは、美保と一緒に過去へ戻した方が良いだろう。

「この仏間だけが、八十年の時間を行き来できるのですか」

美保も、大体分かってきたように言った。

「そう、行き来できるのは、実に気まぐれなのですが」

「それで、いつも仏間で寝起きしていたのですね」

美保も納得して言い、素直に座った。

文夫は、仏間に入らないよう廊下から話していた。

「時を越えるとき、何やら気を遣(や)る時みたいな変な気持ちがしたのです」

座った美保が、廊下に立っている文夫に言った。

「さっきも、文夫さんからあの変な機械を奪おうとして揉み合ったとき、何やらあなたを犯したいような気分になった途端、目眩を感じて……」

美保がそのときの感覚を思い出しながら言った。してみると、時間の出入り口は人の淫気によって作用するのだろうか、と文夫は思った。

「今も、何だかモヤモヤしています」

美保が言い、敷居の前までにじり寄ると、彼の股間に手を当てて撫で回した。

彼も快感がくすぶり、たちまち最大限に勃起してしまった。

文夫も興奮を高め、ベルトを解くと下着ごとズボンを膝まで下ろした。

美保の鼻先で、勃起したペニスがぶるんとバネ仕掛けのようにそそり立った。

「ああ、何て大きい……」

美保がうっとりと言い、熱い視線を注ぎながら幹を両手で挟んだ。

文夫が両手で、柱と襖のヘリを摑みながら股間を突き出すと、美保は顔を寄せ、舌を伸ばして愛しげに先端を舐め回してくれた。

舌先で尿道口をチロチロとくすぐってから、丸く開いた口で張り詰めた亀頭をくわえ、上気した頰をすぼめて吸った。

「ああ、気持ちいい……」

文夫が快感にうっとりと喘ぐと、美保もスッポリと喉の奥まで吞み込んでいった。そしてネットリと舌をからめ、たっぷりと唾液にまみれさせると、彼女は顔を前後させてスポスポと摩擦しながら、自らもモンペの股間に激しく指を這わせはじめていた。

「ンンッ……」

快感が高まってくると美保が熱く呻き、息で恥毛をそよがせながら吸引と摩擦を強めていった。

「い、いきそう……」

文夫も急激に高まりながら、股間をズンズンと前後させて摩擦快感を噛み締めた。

たちまち彼は立っていられないほどの大きな絶頂快感に見舞われ、膝をガクガクさせながら勢いよく射精した。

「あう、いい……！」

文夫は口走り、ドクンドクンと大量のザーメンをほとばしらせると、

「ク……」

喉の奥を直撃された美保が呻き、さらに吸引して吸い出してくれた。

「アア、すごい……」

文夫は喘ぎ、魂まで吸い出されそうな快感を味わいながら、心置きなく最後の一滴まで出し尽くしてしまった。

柱に摑まりながら動きを停め、グッタリと力を抜くと美保も口の動きを停めた。

そして亀頭を含んだまま、口に溜まったザーメンをゴクリと一息に飲み干すと、ようやく口を離した。

なおも美保は股間を擦りながら、片方の手で幹をしごき、尿道口から滲む余りの雫までペロペロと丁寧に舐めて綺麗にしてくれたのだった。

「も、もういいです、有難う……」

過敏に幹をヒクつかせて言うと、

「アアーッ……！」

舌を引っ込めた美保も、とうとうオルガスムスに達してしまったようだ。

そして彼女は風呂敷包みを抱え込みながら仰向けになり、ガクガクと痙攣しながら悶え続けた。

見ていると、急に美保の全身が薄まり、畳が透けて見えてきたではないか。

どうやら時間の扉が開いたらしい。

「み、美保さん、お元気で……」

文夫は廊下から仏間を覗き込みながら声をかけると、いつしか完全に美保の姿が消え失せていったのだった。

(無事に帰ったか……)

文夫は思い、今の出来事が夢のように思えたものだ。しかし股間には、まだ心地よく気怠い余韻が残っている。

思えば、廊下と仏間を隔てて双方が昇り詰めたのだ。

ペニスが境目にあったので、ペニスだけ過去へ持って行かれなくて良かったと心から思ったものだった。

文夫は嘆息し、下着とズボンを整えながらフラフラとリビングまで行き、ソファに座り込んだ。

そして呼吸を整えるとスマホを手にして、

『美保さんは無事に過去へ戻ったみたい』

と江利香にメールしておいた。

すると、今度はすぐに返信が来たのだ。

『分かったわ。私もなるべく早く帰るから、お昼は何か勝手に食べて、そのまま留守番していて』

江利香が言ってきたので、彼も了解の返信をしてスマホを切った。

そろそろ昼だ。

やがて文夫はキッチンに立ち、食パンがあったので焼いてバタートーストと、インスタントの野菜スープに牛乳で昼食を済ませた。

そして勝手にシャワーを浴び、江利香の歯ブラシで歯磨きしてからリビングに戻り、ソファにゴロリと横になった。

もちろん仏間は恐いので入れない。

思えば昨夜は昭和十八年で過ごし、あまり眠れなかったので、すぐにも彼はウトウトして眠り込んでしまった。

そして玄関が開いたので目を覚まし、起きて出迎えに行った。

外は、もうすっかり日が傾いている。

「ただいま」

江利香が言ったが、入ってきたのは彼女だけではなく、もう一人、作務衣姿で丸メガネをかけた、坊主頭の大柄な老人が一緒だったのである。

6

「こちらは近所にあるうちの菩提寺の先代住職、如月和尚よ」

リビングで、江利香が和尚を紹介した。

和尚は脂ぎって見えるが、もう八十代半ばらしい。

「過去帳を調べに寄ったら、和尚が一緒に来るというので」

江利香が言うと、和尚が引き継いだ。

「儂もすっかり物忘れが激しくなって、江利香ちゃんの顔を見た途端に思い出したんだ。彼女の死んだ婆さんから預かっていたものを渡さなければと思って」

和尚が言い、懐中から古びた手帳を出してテーブルに置いた。

江利香が手に取り、中をパラパラめくって顔を上げ、

「り、理恵ちゃんの日記だわ……」

目を丸くして言った。

「なに、理恵ちゃんとは、君の曾婆さんの名だが……」

和尚が驚いて言ったが、江利香はひとまず手帳を閉じて置き、まずは田代家の

過去のことを彼に訊いた。

「田代家は代々女系で、常に婿養子を迎えておった。その、理恵さんというのは戦時中、そう昭和十八年に出征間近の男と見合いをし、一児をもうけた」

和尚も、特に詮索することもなく、訥々と話しはじめた。

「その子が理恵さんの一人娘、つまり江利香ちゃんの祖母で、その人が晩年、不思議な手帳を見つけたと言って儂に預けて来た。何と中には江利香ちゃんの名も書かれているというので、君が大人になったら渡すよう言付かっていたのだが、すっかり忘れていて申し訳ない」

和尚が言い、文夫はふと思い当たった。

もしかしたら理恵は文夫の子を孕み、それに気づいた芙美子が急いで出征前の男と見合い結婚させたのではないだろうか。

そうだとしたら、ここにいる江利香は文夫の曾孫ということになる。

江利香はそのことに思い当たったかどうか、特に表情は変えずに、ただじっと和尚の話に耳を傾けていた。

「結局、理恵さんの夫は南方で戦死。やがて終戦になり、子を抱えて大変な時代に入ったが、なぜかこの家はずっと裕福だった」

和尚が言い、特に質問も無いようなので、一息ついて腰を上げた。

「では儂は、これから飲みに出るので」

「あ、済みません。お茶もお出ししないで」

「いや、いい、どうせ酒を飲みに行くんだ」

彼は言い、矍鑠（かくしゃく）たる足取りで玄関に行って草履を履いた。

「では、手帳は確かに渡したぞ。ああ、内容は特に報告しないでよろしい。聞いてもすぐ忘れるからな」

そう言い、和尚は出ていった。

すると、戸を閉めた江利香が文夫を振り返って言った。

「ね、色々話したいので、今夜は泊まっていって」

「うん、じゃそうする」

彼が答えると、江利香は内側から戸締まりをしてリビングに戻った。

そして再び手帳を開き、

「ここに書かれているわ。終戦後、また文夫さんと江利香さん来訪、先の世の食べ物を持って来てくれる」

「え……、じゃ今後も行き来を……」

聞いた文夫は目を丸くした。

「そのようだわ。だから終戦後の食糧難も、私たちに助けられて乗り越えることが出来たのね……」

江利香が言う。

確かに、終戦直後の食糧難は大変なもので、とても配給だけでは足りずに、餓死者も出たと聞いている。闇米もそうそうは手に入らなかっただろうが、それを文夫と江利香が助けたのだ。

「読むのが恐いわ。私たちの未来、いえ、過去のことだけど、私たちの知らない行動が書かれているのだから」

「うん、歳を取るまで、読まずに仕舞っておく方がいいかもしれない」

「そうね、そうするわ」

彼が言うと江利香も答え、手帳を閉じた。

「それより夕食にしましょう。昭和十八年に戻った話は、あとからゆっくり聞かせてもらうわ」

江利香は言って立ち上がり、まず手帳を自室の引き出しにしまい込み、すぐキッチンに戻ってきた。

飯を温め、肉野菜を手早く炒めて缶ビールも出してきた。仕度が調うと文夫も食堂のテーブルに着き、ビールで乾杯した。グラスに注がず缶のまま飲む。

「とにかく、無事現代に戻れて良かったわ」

江利香も落ち着いたように、喉を潤して言った。

「うん、一時はどうなるかと思ったけど」

「八十年前はどんな感じ？」

「この家の造りは同じだけど、窓ガラスには空襲に備えてテープが貼られて、茶の間も全て和風。でも飯も漬け物も味噌汁も、やけに旨かった」

二人は、料理をつまみながら話した。

「でも外へは出られなかった。大日本婦人会の恐いオバサンや軍人が闊歩してるし、若い男が、昼間からブラブラするわけにいかないので」

「それはそうね。それで、美保さんというのはどういう人？」

「芙美子さんの後輩で、元は女学校で薙刀の教官、今は人妻で家に赤ん坊がいて、夫は陸軍兵士で大陸に」

「何か恐そうな人ね」

「うん、スマホを見られて、ソフトバンクって英語が書かれているからスパイだと疑われて、仏間で揉み合っているうち二人ともこっちへ」

「まあ……」

江利香は息を呑んだ。

やがてビールが空になったので一本だけで止し、二人は飯にした。

「でも、よくすぐに彼女だけあちらに戻れたわね」

「うん、僕は仏間に近寄らないようにしていたので」

「そう、でも手帳では今後も行き来しているようだから、きっと時の穴の開くタイミングが分かってくるのかも知れないわ」

江利香は、特に彼が美保と関係があったかどうかというような詮索はせずに言った。

「うん、無事に行き来できるなら面白いんだけど」

文夫も答え、やがて二人は食事を終えた。

そして江利香は洗い物をしている間に、彼はまたこっそり彼女の歯ブラシで歯磨きしてしまった。

やがて灯りを消すと、二人は江利香の部屋に入ったのだった。

7

「手帳はちゃんとしまった?」

「ええ、下の引き出しのいちばん奥へ。でも好奇心に駆られて、たまに開いてしまいそうだわ」

文夫が訊くと、江利香がベッドに腰を下ろして答えた。

確かに、部屋にあるのだからつい読みたくなることもあるだろう。

理恵も、そんなものを書き残してはいけないと思いつつ、育児で疲れ、そこを救われるのだから嬉しくて書き綴ってしまったに違いない。

そして位牌を見れば、芙美子も理恵も七十代まで生きることが分かっているのである。

もちろん文夫も、手帳のことや、江利香が自分の曾孫かも知れないなどという疑念より、目の前のお姉さんに激しい淫気を催してしまった。

何しろ今まで文夫と懇ろになった女性たちの中で、江利香だけが唯一、同じ時代の人なのである。

話題が途切れると文夫は彼女の隣に座り、そっと唇を迫らせていった。

江利香も拒まず、ピッタリと唇を重ねると、彼は柔らかな感触と唾液の湿り気を感じながら、そろそろと舌を挿し入れていった。

舌先で江利香の滑らかな歯並びを左右にたどると、彼女も歯を開き、チロチロと舌をからめてくれた。

文夫は彼女の熱い鼻息で鼻腔を湿らせ、唾液に濡れて滑らかに蠢く舌を味わいながら、ブラウスの胸に手を這わせていった。

「ンン……」

江利香が熱く呻き、チュッと強く彼の舌に吸い付いてきた。

なおも膨らみを揉んでいると、

「アア……」

江利香が口を離して熱く喘ぎ、濃厚な花粉臭の吐息を弾ませた。

文夫は美女の匂いに酔いしれながら、痛いほど股間を突っ張らせた。

「待って、脱ぎましょう……」

江利香が言って身を離すと、いったん立ち上がってブラウスのボタンを外しはじめた。

文夫もシャツとズボンを脱ぎ去り、たちまち全裸になると、先にベッドに横たわっていった。

枕には、江利香の悩ましい匂いが濃く沁み付き、その刺激が胸から股間に伝わり、ヒクヒクとペニスが歓喜と期待に上下した。

やがて江利香も最後の一枚を脱ぎ去ると、一糸まとわぬ姿で横になってきた。

文夫はお姉さんに甘えるように腕枕してもらい、目の前で息づく乳房に手を這わせながら、腋の下に鼻を埋めて嗅いだ。

腋の下は、昭和十八年の三人とは違ってスベスベで、それでもジットリと生ぬるく湿り、甘ったるい汗の匂いが濃厚に鼻腔を刺激してきた。

文夫は胸を満たし、うっとりと酔いしれながら興奮を高め、指先でコリコリと乳首を弄んだ。

「アア、いい気持ち……」

江利香が熱く喘ぎ、クネクネと身悶えては艶めかしい匂いを揺らめかせた。

そして仰向けの受け身体勢になりながら、彼の顔を胸に抱き寄せてきた。

文夫ものしかかり、チュッと乳首に吸い付いて舌で転がし、顔中で膨らみの感触を味わいながら、もう片方も指でいじった。

しかし、その時である。

「文夫さん……」

入り口から声がしたので、

「え……！」

文夫は動きを停め、驚いて身を起こした。

見ると、何と寝巻姿の理恵が、そこに立っているではないか。

「り、理恵ちゃん、来ちゃったの……？」

江利香も驚いて起き上がり、目を丸くして言った。

理恵はぼうっと頬を上気させ、僅かに寝巻も乱れているではないか。

少なくとも、二人の行為を見てショックを受けている様子がないので、文夫も安心したものだ。

「とにかく入って座りなさい。ごめんね、二人ともこんな格好で」

江利香が言い、文夫も股間を隠しながら彼女と並んでベッドに座った。

理恵も恐る恐る部屋に入ってきて、椅子に座った。

「それで、どうしたの？」

「お母さんが寝ちゃったので、私は文夫さんに会いたくて、仏間に入って自分でしていると……」

江利香に訊かれ、理恵が答える。

どうやら理恵は、仏間でオナニーしてしまったらしい。

それで理恵の頬は熱っぽく、やや裾も乱れていたのだろう。

「そうしたら体が浮くような気がして、気がついたらこっちへ」

「そう……」

江利香は頷いたが、どうやらやはり時の扉の開閉は、淫気や快楽に関係があるのだと文夫は思った。

「それで、美保さんは無事に元の時代に帰ったんだね？」

「美保さんもこっちへ来たんですか。あの人は何も言わなかったから」

文夫が訊くと理恵が答えた。どうやら美保は無事に戻り、夕方に芙美子と理恵が帰宅するまで何事もなく掃除や炊事をしていたのだろう。

「まあ、無事に戻れたのなら良かった。理恵ちゃんも、きっとちゃんと戻れるよ」

文夫が言うと、理恵が椅子から立ち、帯を解いて寝巻を脱いでしまったのだ。下には何も着けておらず、たちまち理恵も一糸まとわぬ裸体を晒した。

「り、理恵ちゃん……」

「どうか、私も交ぜて下さい……」

江利香が驚いて言うと、理恵は答えてベッドに迫ってきたのだ。

どうやら淫気がくすぶったままこちらへ来てしまい、しかも二人の行為を見て、すっかりその気になってしまったようだ。

別に彼女は文夫だけを独占したいと思っていないようで、むしろ美しい江利香も含め、とにかく仲間に入りたいのだろう。

すると、江利香の方が文夫より切り替えが早かった。

「いいわ、来なさい。三人でしましょう」

江利香が言うと、理恵も笑窪を浮かべて頷き、ベッドに上ってきた。

前から理恵は江利香をお姉さんのように思い、江利香も彼女を可愛いと思っていたのだろう。

一人っ子同士、欲望や好奇心が性別を超えて湧き上がってきたのだろうか。

（ふ、二人を相手に……？）

彼は戸惑いつつ、股間の方は正直に反応し、はち切れそうに突き立っていた。

やがて江利香と理恵は、仰向けになった文夫を真ん中にし、挟むように添い寝してきたのだった。

第六話　二人がかりの一夜

1

「三人でするなんて、何だか夢のようだわ」

理恵が頬を上気させて言い、江利香と一緒に文夫を挟み付けてきた。考えてみれば三人とも全裸で、女子大生の美女と、過去の世界から来た美少女の二人を相手にしているのだから、文夫にとってもこれは夢のようなものであった。

やがて江利香が、仰向けの文夫の乳首にチュッと吸い付いてくると、真似するように理恵も、もう片方の乳首に唇を押し付けてきたのだ。

「あう……」

文夫は両の乳首を同時に吸われ、ダブルの刺激に呻いた。

しかも二人が熱い息で肌をくすぐりながら、チロチロと舌を這わせてくると、否応なく全身がクネクネと悶えた。

「か、嚙んで……」

強い刺激が欲しくて思わず言うと、二人も綺麗な歯並びで、咀嚼（そしゃく）するようにキュッキュッと左右の乳首を嚙んでくれた。

「ああ、気持ちいい、もっと強く……」

彼は甘美な刺激に喘ぎながら、今にも暴発しそうなほどピンピンに勃起したペニスを上下に震わせた。

やがて二人は乳首を離れ、彼の肌を舐め降りてゆき、たまに脇腹や下腹にも歯を立ててきた。

文夫は何やら二人に全身を食べられていくような興奮に包まれ、震える幹の先端から粘液を滲ませた。

二人はまるで申し合わせたように、彼の腰から脚を舐め降りていった。

まるで彼の体を、縦に半分ずつ賞味しているようだ。

そして二人が同時に爪先にしゃぶり付き、指の股にヌルッと舌が割り込んでく

ると、

「あう、いいよ、そんなことしなくて……」

文夫は申し訳ない快感に呻いた。

自分がする分には良いが、される側だとやはり気が引ける。

しかし二人は、彼を感じさせるというより自分から味わっているように、念入りに全ての指の股をしゃぶり尽くした。

文夫は生温かな泥濘(ぬかるみ)を踏む思いで、唾液にまみれた指で二人の舌を摘んだ。

やがて二人は口を離すと、彼を大股開きにさせ、左右の脚の内側を舐め上げてきた。

内腿にもキュッと歯が食い込むたび、

「く……」

文夫は甘美な痛みに呻いた。

そして二人が股間に顔を寄せてくると、先に江利香が彼の両脚を浮かせ、尻の谷間に舌を這わせてきた。

チロチロと肛門が舐められ、ヌルッと潜り込むと、

「あう……」

文夫は妖しい快感に呻き、キュッと肛門で江利香の舌先を締め付けた。

彼女も熱い鼻息で陰嚢をくすぐり、内部で舌を蠢かせてから舌を離すと、すかさず理恵が同じように舐め回し、ヌルッと潜り込ませてきた。

立て続けだと、それぞれの舌の感触や蠢きが異なり、文夫はいかにも二人にされているのだという実感が湧いた。

理恵も舌を蠢かせてから口を離すと、脚が下ろされ、二人は頬を寄せ合って迫り、同時に陰嚢を舐め回しはじめた。

それぞれの睾丸が舌で転がされ、股間には混じり合った熱い息が籠もった。

時にチュッと吸われると、急所だけに思わずビクリと腰が浮いてしまった。

そして袋全体がミックス唾液にまみれると、二人は同時に前進し、幹の裏側と側面を舐め上げはじめたのだ。

滑らかな舌が二人分、ゆっくりと先端まで来ると、二人は交互に舌を這わせ、粘液の滲む尿道口を舐め回した。

さらに張りつめた亀頭も、一緒にしゃぶり付いてきた。女同士の舌が触れ合っても、一向に気にならないようである。

恐る恐る股間を見ると、まるで美しい姉妹が一本のバナナを一緒に味わっているかのようだ。

やがて先に江利香がスッポリと喉の奥まで呑み込み、幹を締め付けて吸いながら舌をからめた。そして頬をすぼめてチューッと吸い付きながらスポンと引き離すと、すぐに理恵が同じように含んできた。

「ああ、気持ちいい……」

ここでも文夫は、二人の口腔の温もりや感触の微妙な違いに喘いだ。

何という贅沢な快感であろう。

理恵もチュパッと口を離すと、また江利香が含み、二人交互に吸い付かれ、彼自身は混じり合った清らかな唾液に温かく浸った。

次第に絶頂が迫り、彼は、もうどちらの口に含まれているか分からないほどの興奮に包まれた。

「い、いきそう……」

文夫が降参するように言って腰をくねらせると、二人は同時に口を離して顔を上げた。

「入れたいわ」

「ええ、お姉様が先に」

江利香が言うと理恵が答え、

「そ、その前に足を舐めたい……」

彼は早々と終わりたくなくて言った。

すると二人は彼の顔の方に移動し、立ち上がった。

「足の裏を顔に乗せて……」

せがむと、二人も互いの身体を支え合いながら片方の足を浮かせ、そっと彼の顔に乗せてくれた。

「ああ……」

文夫は甘美な興奮に喘いだ。

美女と美少女の足裏を、同時に顔中で感じたのだ。

彼はそれぞれの足裏に舌を這わせ、指の間に鼻を押し付けて嗅いだ。

どちらも汗と脂に湿り、ムレムレの匂いが濃く沁み付いて鼻腔が刺激された。

よく似た匂いを充分に嗅いでから爪先をしゃぶり、順々に二人の指の股に舌を割り込ませて味わうと、

「あん、くすぐったいわ……」

理恵が言って江利香にしがみつき、たまにバランスを崩してキュッと踏みつけ

てきた。

そして彼がそれぞれの指の股を全てしゃぶり尽くすと、二人は自然に足を交代させた。文夫は新鮮な味と匂いを貪り、

「跨いで……」

真下から言うと、やはり姉貴分の江利香が先に跨がり、和式トイレスタイルでゆっくりしゃがみ込んできた。

白い内腿がムッチリと張り詰め、すでに濡れている割れ目が鼻先に迫った。

文夫は腰を抱き寄せ、江利香の茂みに鼻を擦りつけ、舌を這わせていった。

2

「アア……、いい気持ち……」

江利香が喘ぎ、トロトロと生温かな愛液を漏らしてきた。

文夫もヌメリをすすりながら、茂みに籠もって蒸れた汗とオシッコの匂いに噎せ返り、うっとりと胸を満たした。

そして息づく膣口の襞をクチュクチュ掻き回し、ゆっくりクリトリスまで舐め

上げていくと、

「アァッ……！」

江利香が熱く喘ぎ、ヒクヒクと白い下腹を波打たせた。

そんな様子を、横から理恵が熱い眼差しで覗き込んでいる。

文夫は江利香の味と匂いを堪能してから、尻の真下に潜り込み、顔中に弾力ある双丘を密着されながら、谷間の蕾に鼻を埋めて蒸れた匂いを嗅いだ。そして舌を這わせて襞を濡らし、ヌルッと潜り込ませて滑らかな粘膜を探ると、

「く……」

江利香が呻き、キュッと肛門で舌先を締め付けてきた。充分に舌を蠢かすと、やがて江利香が理恵のために股間を浮かせて場所を空けた。

すると理恵もすぐ彼の顔に跨がり、しゃがみ込んで割れ目を迫らせてきた。

若草の丘に鼻を埋め込んで嗅ぐと、やはり江利香よりも濃厚な汗と残尿臭が鼻腔を悩ましく掻き回してきた。

今夜は入浴していないらしい。昭和十八年では毎晩風呂を焚くわけではないのだ。文夫は美少女のナマの匂いに噎せ返りながら舌を挿し入れ、淡い酸味のヌメリをすすってから小粒のクリトリスを舐め回した。

「あん……、いい気持ち……」

理恵が喘ぎ、座り込みそうになると懸命に両足を踏ん張った。

理恵も、江利香に負けないほど大量の蜜を漏らしている。

すると、待ち切れなくなったように江利香が彼の股間に跨がり、しゃがみ込んでペニスを膣口に受け入れていったのだ。

ヌルヌルッと根元まで嵌まり込んで股間が密着し、江利香が完全に座り込んできた。

「アア……、いいわ……」

江利香が喘ぎ、キュッときつく締め上げてきた。

文夫も摩擦快感と収縮に高まりながら、懸命に理恵のクリトリスを吸い、尻の真下に潜り込んだ。

顔中に双丘を受け止め、谷間の蕾に籠もる生々しく蒸れた匂いを嗅ぎ、舌を這わせてヌルッと潜り込ませた。

「あう……」

理恵が呻き、肛門で舌先を締め付けた。

すると江利香が理恵の背にもたれかかりながら、徐々に腰を動かしはじめたのだ。それを察すると、やがて理恵も彼の顔から離れて添い寝し、まずは江利香の絶頂を見届けようとした。

前が空いたので江利香が身を重ねると、彼は両手で抱き留め、膝を立てて尻を支えた。

文夫はまだ腰を動かさず、潜り込んで江利香の乳首に吸い付き、隣の理恵の胸も抱き寄せ、順々に二人分の乳首を味わった。

「アア、いい気持ち……」

江利香が喘ぎ、自分だけリズミカルに腰を動かしていた。文夫も締め付けと刺激に高まったが、何しろ相手が二人もいるのだから、かなりセーブしながら暴発を堪えた。

二人の乳首を舐め回し、顔中で柔らかな膨らみを味わうと、さらに彼は腋の下にも鼻を埋め込んで嗅いだ。

江利香も甘ったるい汗の匂いを馥郁と籠もらせ、理恵は和毛にさらに濃厚な体臭を沁み付かせていた。

文夫は二人分の熱気と匂いに酔いしれ、充分に味わうと江利香の首筋を舐め上げ、下から唇を重ねていった。

さらに理恵の顔も抱き寄せると、彼女も嫌がらずに唇を密着させ、三人で舌をからめはじめたのだ。

これも実に贅沢な体験である。

唾液に湿った二人分の唇が重なり、それぞれの舌が滑らかに蠢くのだ。

二人の混じり合った息で彼の鼻腔も顔中も生温かく湿り、注がれるミックス唾液でうっとりと喉を潤した。

そして彼も堪らず、ズンズンと股間を突き上げはじめると、

「アア……、いきそう……」

江利香が口を離して喘ぎ、彼もいったん動きはじめると、あまりの快感で腰が止まらなくなってしまった。

なおも二人の顔を引き寄せていると、江利香の吐き出す花粉臭の息と、理恵の甘酸っぱい果実臭の吐息が混じり合い、悩ましく鼻腔を刺激してきた。

貪るように嗅いでいると、二人も心得たように彼の鼻を舐め回し、さらに顔中まで混じり合った唾液でヌルヌルにしてくれた。

もう我慢できずに文夫は、二人分の唾液と吐息、摩擦と温もりの中で激しく昇り詰めてしまった。

「い、いく……！」

全身を貫く大きな絶頂の快感に呻き、熱い大量のザーメンをドクンドクンと勢いよくほとばしらせると、

「い、いい気持ち……、アアーッ……！」

噴出を感じた江利香も同時に声を上げ、ガクガクと狂おしいオルガスムスの痙攣を開始した。

締め付けと潤いが増すと、彼は駄目押しの快感を得ながら股間を突き上げ、心置きなく最後の一滴まで出し尽くしていった。

「ああ……」

文夫は満足しながら声を洩らし、徐々に股間の突き上げを弱めていくと、

「すごかったわ、今までで一番……」

江利香も言い、徐々に硬直を解いてグッタリともたれかかってきた。

「すごいわ……」

間近で見ていた理恵も、江利香の凄まじい絶頂に息を呑んで言った。

やがて完全に動きを止めると、江利香は遠慮なく体重を預け、なおもキュッキュッと膣内を収縮させた。

その刺激で過敏になった幹がヒクヒクと跳ね上がり、文夫は二人分の濃厚な吐息を嗅ぎながら、うっとりと快感の余韻を味わったのだった。

「り、理恵ちゃんは少し待っててね……」

呼吸を整えながら文夫が言うと、期待に頬を染めている理恵が小さく頷いた。

やがて江利香がノロノロと身を起こし、

「シャワー浴びるわ……」

ティッシュの処理も省略し、言いながら立ち上がった。すると理恵も立ったので文夫も起き上がり、三人でバスルームへ移動していった。

3

「本当に便利だわ。すぐにお湯が出るのだから……」

シャワーを浴びながらあらためて理恵が言い、気持ち良さそうに体を洗った。

文夫も股間を流すと、もちろんムクムクと急激に回復してきた。

やはり相手が二人もいると、回復力も倍になっているのだろう。

「ね、二人で出して」

　彼は床に座り、二人を立たせて左右から肩を跨がせて言った。

　二人も心得たように、両側から彼の顔に向けて股間を突き出し、下腹に力を入れて尿意を高めはじめてくれた。

　やはりバスルームだと、必ずこれを求めてしまう。まして二人ぶん一緒にとなると、期待で彼自身は完全に元の硬さと大きさを取り戻した。

　二人の割れ目を交互に舐めると、濃厚だった匂いは薄れてしまったが、新たなヌメリが溢れて舌の動きが滑らかになった。

「あう、出るわ……」

　先に理恵が声を洩らし、チョロチョロと熱い流れがほとばしってきた。

　文夫は舌に受けて味わい、うっとりと喉を潤した。

　すると反対側の肩にも熱い流れが注がれてきたので、彼は江利香の股間にも顔を埋めて流れを味わった。

　その間、理恵の流れが温かく肌に浴びせられていた。

　二人とも味も匂いも淡く、文夫は交互に受け止めて味わった。そして二人分の熱いシャワーを肌に受けながら、彼は我慢できないほど高まってしまった。

　間もなく二人の流れはほぼ同時に治まり、彼はなおも交互に割れ目を舐めて余りの雫をすすり、残り香に酔いしれた。

やがて二人が股間を引き離すと、もう一度三人でシャワーを浴び、身体を拭いて部屋に戻った。

文夫がベッドに仰向けになると、

「私はもう充分だわ。理恵ちゃんがしなさい」

江利香が言い、それでも添い寝して見物する姿勢を見せた。

「私も、途中まででいいです」

「え？　どうして？」

「一番気持ち良くなるときは仏間に行くと、戻れる気がします。本当は泊まりたいけど、お母さんが心配するから」

訊くと理恵が答えた。何となく、理恵は文夫以上に時を越える感覚が分かりかけているのかも知れない。

「そう、じゃ理恵ちゃんの好きなようにしていいからね」

文夫が幹を震わせて言うと、

「じゃまた、お姉様と一緒におしゃぶりしたいわ」

理恵が答え、先端に顔を寄せてきた。

江利香も言い、一緒になって舌を伸ばし、また二人で張り詰めた亀頭をペロペロと舐め回してくれた。

「ああ……、気持ちいい……」

文夫は、股間に混じり合った熱い息を感じながら喘ぎ、二人分の舌の刺激でヒクヒクと幹を上下させた。

そして理恵がスッポリと含んで舌をからめると、彼も下からズンズンと股間を突き上げて快感を高めた。

このまま口に出して良いのだろうかと思ったが、笑窪を浮かべて吸っていた理恵が口を離し、身を起こしてきた。

「やっぱり少し入れたいわ」

理恵が言って跨がってきたので、江利香も彼に添い寝した。

彼女は自分で先端に割れ目を押し当て、ヌメリに合わせてゆっくり腰を沈めていった。張り詰めた亀頭が潜り込むと、あとはヌルヌルッと滑らかに根元まで納まった。

「アアッ……」

「いいわ」

理恵が喘ぎ、すぐにも身を重ねてきた。

文夫も抱き留めて膝を立て、また二人の顔を引き寄せて三人で舌をからめながら小刻みに股間を突き上げた。

「ンン……」

理恵が熱く呻き、合わせて腰を遣いはじめると、クチュクチュと湿った摩擦音が聞こえてきた。さすがに締め付けは江利香よりもきつい。

「唾を出して……」

彼がせがむと、江利香と理恵もトロトロと唾液を吐き出してくれた。文夫は生温かく小泡の多い、二人分のシロップを味わい、うっとりと喉を潤した。

そして二人分の唾液と吐息を吸収しながら動き続けると、すぐにも文夫は絶頂が迫ってきた。

「い、いきそう……」

言うと理恵はなおも腰を動かしているので、このまま果てて良いらしい。

文夫は混じり合った唾液を飲み、二人分のかぐわしく濃厚な吐息を嗅ぎながら、たちまち二回目の絶頂に達してしまった。

「く……！」

快感に呻きながら、ありったけのザーメンをドクドクと注入すると、

「あう、熱いわ……」

理恵が呻き、キュッキュッと飲み込むように膣内を収縮させた。しかし、理恵はオルガスムスには達していないようだ。

とにかく文夫は快感を嚙み締め、最後の一滴まで出し尽くしていった。

「ああ……」

満足しながら突き上げを弱めていくと、理恵も動きを止めてもたれかかった。

文夫は美少女の重みと温もりを受け止め、二人分の悩ましい吐息を嗅ぎながら、うっとりと余韻に浸った。

「いいの？　いかなくて……」

呼吸を整えながら訊くと、

「ええ、仏間でいけば戻れるので」

理恵が、すっかり要領を得たように答え、やがて股間を引き離していった。

すると江利香が顔を移動させ、ザーメンと愛液にまみれた亀頭にしゃぶり付き、舌で綺麗にしてくれたのである。

「あうう、も、もういい、有難う……」

刺激に腰をよじらせながら言うと、ようやく江利香も口を離してくれた。

「じゃ、そろそろ戻りますね」

眠くなったように理恵が言って寝巻を羽織った。

文夫と江利香も起き上がり、一緒に仏間まで行くと、理恵だけ中に入った。

文夫と江利香は理恵を見届けるため、廊下から中を覗き込むだけだ。

「気持ち良くなると、戻れる気がします」

理恵が仏間の畳に仰向けになり、裾をめくって自分で股間をいじりはじめた。

「こっちに股を向けて」

「ああ、恥ずかしいわ……」

文夫が言うと、理恵は声を震わせながらも廊下にいる二人の方に向けて股を開いた。自分でも、その方が絶頂が早いと察したのかも知れない。

理恵は、二人の前で大股開きになり、愛液を付けた指の腹で、小刻みにクリトリスを擦った。

「ああ、いきそう……」

理恵が喘ぎ、ガクガクと痙攣を開始し、文夫と江利香も廊下からじっと見守っていた。

理恵が身を反らせ、

「き、気持ちいいわ……！」

声を上ずらせるなり、彼女の全身が透けるように薄らいでいった。

「い、いく……！」

そして理恵が言うなり、スッとその姿が消えてしまったのだ。いくと言った瞬間、本当に時の彼方へ行ってしまったようだった。

4

「快感の高まりで時の穴が開くなんて……」

翌朝、朝食を囲みながら江利香が文夫に言った。

すでに文夫は、美保が消えていくシーンを見ていたが、江利香は初めてなので相当な衝撃を受けたのだろう。

昨夜はあれから江利香が自室で眠り、彼はリビングのソファで寝たのだった。

「うん、でも理恵ちゃんの日記によれば、僕らは戦後も自由に行き来していたようだから、三人とも時を越える方法を熟知するんだと思う」

「そうね、私も行ってみたいわ。もちろん家の外は出ない方が良いだろうけど」

彼が言うと江利香も答えた。

「今日はどうする？　私は大学へ行かないとならないわ」

「僕は、今は暇なので留守番する。誰もいないときに、あっちから誰かが来てしまうといけないから」

「ええ、お願い」

江利香も頷き、朝食を終えると後片付けをした。

確かに、無人の屋敷に芙美子か理恵、あるいは美保などが来てしまい、勝手に外にでも出られたら困る。

やがて江利香が出かけてゆくと、文夫は玄関の鍵を内側から閉め、シャワーと歯磨きを済ませた。

もちろん一晩ぐっすり眠り、淫気は満々になっているし、江利香の枕や下着でも嗅いで抜きたい気分ではあるが、今日も誰かと何か良いことがありそうな気がするので、控えておくことにした。

過去に戻って、美保と戯れたい気持ちはあるが、やはり不安の方が大きい、何しろ芙美子と理恵は、七十代で亡くなったという位牌があるから、その年齢までは無事だろうが、文夫は先のことが一切分からないのである。

過去へ戻り、そのまま現代へ戻れず行方不明などという展開も、可能性はゼロではないのだ。

するとその時、仏間ではなく玄関チャイムが鳴ったのである。

文夫は驚いて玄関に行き、解錠して開けると、来たのは何と作務衣姿の如月和尚ではないか。

「あ、さっき江利香さんは大学へ行っちゃいました。家の人も旅行中で。僕はそのアパートに住んでる友人の仙場で、いま留守番してます」

「ああ、江利香ちゃんの彼氏か。ならば言付かって欲しいものがあってな」

文夫が言うと和尚は答え、彼に封筒を差し出してきた。

「どうか、お上がりください。僕の家じゃないけど、色々伺いたいので」

「そうか、じゃ少しだけ」

言うと和尚も気軽に草履を脱いで上がり込んできたので、リビングのソファをすすめ、彼は手早く冷蔵庫にあったペットボトルの茶を注いで差し出した。

「実は先日の手帳だけでなく、預かっていた写真も出てきたので急いで渡しに来たのだ」

和尚が言い、封筒から二枚の写真を出してテーブルに並べた。

見ると、ここの庭で撮ったらしいモノクロ写真である。だいぶ老けた芙美子と理恵、そして理恵そっくりな少女は、恐らく江利香の祖母ではないか。

この少女が、もしかしたら文夫の子かも知れないのである。

時代からして昭和三十年代だろう。

一枚めは家族三人の写真、もう一枚には、その三人の他に、見覚えのある男女が写っている。

「こ、これは……」

「おお、君と江利香ちゃんにそっくりだな。今よりも一回りばかり年を食ってるようだが」

和尚が言い、あらためて見ると、やはり十数年後の自分と江利香のようだ。

文夫も江利香も笑顔なので、特に不安はなく、自由に時空を行き来している様子が窺えるではないか。

この写真があるということは文夫自身も、この三十代半ばほどの年齢までは無事でいられるようだ。

「まあ、他人の空似か。恐らく親族でも来たときに撮ったものだろう」

和尚が言う。まあ、それが常識的な判断であろう。

「この界隈は、特に災害なども無かったのでしょうか」

文夫は訊いてみた。

「ああ、儂も先代から良く話を聞かされていたからな、ここらは空襲もなく、戦後も進駐軍の横暴もなかったようだ。大きな火災もなかったし、着々と復興していった」

言い、和尚は冷たい茶を飲んだ。

「ただ、田代家はずいぶん裕福な知り合いがいたようで、戦後の食糧難も米や味噌に不足することなく、隣近所もずいぶん助かったと聞く。もちろんうちの寺にも援助してもらったようだ」

「そうですか」

「ただ、理恵さんが晩年のあるとき、先代に手帳と写真を預け、江利香ちゃんが二十歳過ぎたら渡してくれと言っていたらしい」

「……」

「不思議なことだなあ。まだ江利香ちゃんは生まれていないのに、なぜ名を知っていたのか。先代も死に、儂もその伝言を受けていたのに、すっかり酒浸りで忘れていたのだ。本当に済まない」

酒好きの和尚は苦笑し、坊主頭を撫でながら言った。

「分かりました。江利香さんに言付けて、写真を渡しておきますね」

「ああ、そうしてくれ」

そう言うと、和尚は茶を飲み干して立ち上がった。

文夫も玄関まで見送り、彼が帰っていくと再び施錠してリビングに戻り、あらためて写真を見たのだった。

5

（いずれ自由に行き来できるのならば、いま行っても大丈夫だな……）

文夫は胸を高鳴らせて思った。

あるいは江利香の部屋の引き出しにある、理恵の手帳を見てしまいたい衝動に駆られたが、やはりそれはいずれ江利香と一緒に開くべきだと思った。

だから彼は淫気を抱えて、仏間に入ってしまった。

もちろん家から出ないので現代の服装のままだし、ポケットにはスマホも入っている。

やはり万一を思い、江利香とは通信できるようにしておきたかったのだ。

昼間だから、恐らく家にいるのは美保だけだろう。すでに全員が過去と未来の行き来を知っているのだから、もう取り繕う必要もないのだ。

文夫は美保の肉体を思い、仏間で激しく勃起しはじめた。

理恵の場合は絶頂が迫るとともに時の穴が開くようだが、必ずしも文夫はそうではなく、常に淫気を抱えているだけで今まで行けた気がする。

代々女系だという田代家は女らしく慎み深い反面、抱えて抑えた淫気も強く、そんな思いがこの場所には渦巻いて奇跡を起こすのかも知れない。

そして文夫はテントを張った股間を撫で回すと、快感の高まりとともに視界が揺らぎ、一瞬にして彼は八十年前の世界に飛んでいったのだ。

「うわ、来られた……」

文夫は呟き、サッシではなくテープが縦横に貼られた硝子窓を見た。

「まあ、文夫さん……」

と、気配に気づいたか、何と廊下から芙美子が顔を出したのだ。

「あ、来てしまいました。美保さんは？」

「今日は学校がお休みで私がいるので、美保さんには休んでもらったのよ」

訊くと和服に割烹着姿の芙美子が答え、その満面に喜色が浮かんでいた。

芙美子の勤める女学校は休みでも、もちろん軍の工場は稼働し、理恵は勤労動員に行っているようだ。

仏間には、文夫のためなのかどうか、布団が敷かれたままになっている。

文夫も、美保とする気になっていたが、芙美子ならなおさら嬉しい。美保とは先日もしたばかりなので、彼も自分にとって最初の女性であるこの美熟女と出来るなら、願ってもないことだった。

彼の淫気が、目の前の芙美子に集中した。

「あの、構いませんか」

股間を突っ張らせて言うと、

「ちょっと待って」

芙美子が言い、玄関に行って内側からスクリュー錠をかけて戻った。

そして割烹着を脱ぎ、自分から帯を解きはじめたのである。

彼女も、絶大な淫気に火が点いたようだ。

文夫も手早く全裸になり、勃起したペニスを震わせて布団に横になった。

芙美子もシュルシュルと衣擦れの音を立てて帯を落とし、テキパキと着物や襦袢を脱いでいった。

たちまち仏間に、生ぬるく甘ったるく熟れた体臭が立ち籠め、見る見る白い肌が露わになっていった。

彼女は、昨夜理恵がこっそり未来へ飛んだことは知らないのだろう。

やがて一糸まとわぬ姿になった芙美子が優雅な仕草で添い寝してきたので、彼も甘えるように腕枕してもらった。

「アア、可愛い……」

芙美子が感極まったように言い、キュッときつく彼の顔を胸に抱きすくめてくれた。

「また会えて嬉しいわ。ううん、きっとまた会えると思っていたの」

芙美子が彼の髪を撫でながら囁く。

文夫は目の前に息づく乳首にチュッと吸い付き、舌で転がしながら顔中で柔らかな巨乳を味わい、もう片方の乳首にも指を這わせはじめていった。

「アア……」

芙美子が熱く喘ぎながら、仰向けの受け身体勢になっていった。

彼も熟れ肌にのしかかり、左右の乳首を交互に含んで舐め回し、立ち昇る甘ったるい体臭に酔いしれた。

両の乳首を充分に味わうと、彼は芙美子の腕を差し上げ、色っぽい腋毛の煙る腋の下に鼻を埋め込んだ。隅々には濃厚に甘ったるい汗の匂いが沁み付き、彼は噎せ返りながらうっとりと胸を満たした。

彼女は完全に身を投げ出し、熱く息を弾ませながらされるままになっている。

文夫は白く滑らかな熟れ肌を舐め降り、形良い臍を探り、豊満な腰から脚を舐め降りていった。

体毛のある脛から足首まで行き、足裏に舌を這わせ、形良く揃った足指に鼻を押し付けて嗅ぐと、生ぬるくムレムレになった匂いが濃く鼻腔を刺激してきた。

爪先にしゃぶり付き、順々に指の股に舌を割り込ませ、汗と脂の湿り気を味わうと、

「アア……、駄目……」

芙美子が朦朧として言ったが、すでに彼の愛撫のパターンを知っている彼女はもちろん拒みはしなかった。

文夫は両足ともしゃぶり尽くし、股を開かせて脚の内側を舐め上げていった。

ムッチリと量感のある内腿をたどり、熱気と湿り気の籠もる股間に迫ると、すでに陰唇が大量の愛液に熱く潤っていた。

指で割れ目を開くと、かつて理恵が生まれ出た膣口が息づき、母乳のように白っぽい本気汁が滲んでいた。

もう堪らず、彼は黒々と艶のある茂みに鼻を埋め込み、擦りつけて嗅いだ。

隅々には濃厚に甘ったるく蒸れた汗の匂いに、ほのかなオシッコ臭も混じって鼻腔を掻き回してきた。

彼は貪るように嗅いで胸を満たしながら、陰唇の間に舌を挿し入れていった。

淡い酸味のヌメリを掻き回して膣口の襞をクチュクチュ探り、ゆっくり柔肉をたどってクリトリスまで舐め上げていくと、

「アアッ……、いい……」

芙美子がビクッと身を弓なりにさせて喘ぎ、内腿でキュッときつく彼の両頬を挟み付けてきた。

文夫は執拗にクリトリスを舐めてはヌメリをすすり、やがて味と匂いを堪能すると彼女の両脚を浮かせていった。

6

「ね、両手をお尻に当てて自分で広げて」

文夫が言うと、芙美子も浮かせた脚を震わせ、息を弾ませながらそろそろと両手を双丘に当て、グイッと左右に広げてくれた。

谷間に閉じられていた薄桃色のおちょぼ口が、僅かに盛り上がって艶めかしく突き出された。

「舐めてって言って」

「アア、恥ずかしいわ……、汚れていないかしら……」

股間から言うと、鏡でも使わない限り自分では見えない場所なので、芙美子は声を上ずらせながらヒクヒクと蕾を収縮させた。

連動するように割れ目も息づき、溢れた愛液が今にも尻の方にまでトロリと垂れそうになっていた。

「大丈夫、すごく綺麗なので」

「じゃ舐めて……、アアッ！」

彼女は言い、自分の言葉に激しい羞恥を覚えたように肛門を息づかせた。

文夫は顔を寄せ、舐める前に蕾に鼻を埋め込み、蒸れた汗の匂いと淡いビネガー臭を貪った。

「あう、駄目、嗅がないで……」

芙美子が腰をくねらせて呻く。やはりシャワー付きトイレのない時代は、かなり気になるのだろう。

文夫は充分に嗅いでから舌を這わせ、チロチロと蕾を舐めて濡らし、ヌルッと潜り込ませて滑らかな粘膜を探った。

「あう……！」

芙美子が呻き、キュッキュッときつく肛門で舌先を締め付けてきた。

文夫は舌を出し入れさせるように蠢かせ、淡く甘苦い粘膜を執拗に味わった。

すると、とうとう割れ目から愛液が垂れてきたので彼はヌラリと舐め取り、肛門に左手の人差し指を浅く潜り込ませ、膣口に右手の二本の指を挿し入れた。

前後の内壁を小刻みに指で擦りながら、再びクリトリスに吸い付くと、

「アア……、駄目よ、いきそう……、お願い、入れて……！」

芙美子が声を上ずらせて言い、前後の穴で指を締め付けながら、絶頂を堪える

ように嫌々をした。

文夫も指を引き抜き、溢れる愛液をすすった。そして身を起こして股間を進めると、先端を濡れた割れ目にヌラヌラと擦り付けて潤いを与えた。

そして位置を定めると、一気にヌルヌルッと根元まで挿入していった。

「あう……、すごい……」

芙美子が顔を仰け反らせて呻き、キュッと締め付けてきた。

彼も股間を密着させて脚を伸ばし、身を重ねると胸で巨乳を押しつぶした。

芙美子も両手を回してしがみつき、待ち切れないようにズンズンと股間を突き上げはじめた。

彼はまだ動かず、上から顔を寄せてピッタリと唇を重ねていった。そして舌を挿し入れ、滑らかな歯並びを左右にたどると、彼女も歯を開いて舌を触れ合わせてきた。

「ンンッ……」

芙美子が熱く呻いて息で彼の鼻腔を湿らせ、チュッと舌に吸い付いた。

生温かな唾液に濡れて滑らかに蠢く舌を味わいながら、彼も徐々に腰を突き動かしはじめた。

もちろん文夫はここで果てる気はない。まだおしゃぶりもしてもらっていないし、いくときは女上位が好みなのだ。

多少動いても、そうそう果てないで済むぐらい女体にも慣れてきたのである。

溢れる愛液で律動が滑らかになり、クチュクチュとイヤらしく湿った摩擦音も聞こえてきた。

「アア……、い、いきそう……」

芙美子が口を離し、淫らに唾液の糸を引きながら喘いだ。

「まだ駄目です。ね、一度お風呂場へ行きましょう」

文夫は動きを止めて言い、彼女の両手を振りほどきながらゆっくり身を起こしていった。

そしてヌルッと引き抜くと、

「あう……」

快楽を中断された芙美子が詰るように呻き、それでも彼に手を引っ張られて起き上がった。

支えながら立たせ、仏間を出ると風呂場へ移動し、彼は簀の子に座って目の前に芙美子を立たせた。そして小判型の風呂桶のふちに片方の足を乗せさせ、開いた股間に顔を埋めた。

「飲ませて……」

恥毛に籠もる匂いを貪りながら言うと、芙美子も息を詰めて尿意を高めはじめてくれた。言うことをきいた方が彼が悦び、自分の快感も増すことを知っているのだ。

舐めていると奥の柔肉が迫り出し、味わいと温もりが変化してきた。

「あう、出る……」

芙美子が短く言うなり、チョロチョロと熱い流れがほとばしってきた。

彼は口に受けて味わい、喉に流し込んだ。

味も匂いも淡く控えめで、抵抗なく飲み込めるが、勢いが増すと溢れた分が温かく肌を伝い流れた。

「アア……」

止めようもなく芙美子は喘ぎながら、ゆるゆると放尿を続けた。

ようやく勢いが衰え、完全に流れが治まると文夫は残り香の中で余りの雫をすすり、新たな愛液が溢れる割れ目内部を執拗に舐め回した。

「も、もう駄目……」

立っていられないように芙美子が言って足を下ろし、力が抜けたように木の椅子に座り込んでしまった。

文夫は風呂桶に溜まった水を手桶で掬い、尿に濡れた肌を洗い流して立ち上がった。

割れ目は、潤いが消えてしまうので洗わなくて良いだろう。

彼は身体を拭き、洗いたがっている芙美子の手を引いて風呂場を出た。

そして再び仏間の布団に仰向けになると、彼は両脚を浮かせて抱え、尻を突き出した。

芙美子も心得、顔を寄せて尻の谷間に舌を這わせてくれた。

熱い鼻息で陰嚢をくすぐりながら、チロチロと肛門を舐め回し、自分がされたようにヌルッと潜り込ませた。

「あう……」

文夫は快感に呻き、モグモグと肛門を締め付けて美熟女の舌先を味わった。

芙美子も舌を蠢かせ、やがて彼が脚を下ろすと、鼻先にある陰嚢を舐め回してくれた。そして袋を唾液にまみれさせると、ゆっくり肉棒の裏側を舐め上げてきたのだった。

7

「ああ、気持ちいい……」

芙美子の滑らかな舌が先端まで来ると、文夫は快感に喘いだ。

彼女も粘液の滲む尿道口をチロチロと舐め、股間に熱い息を籠もらせて、張り詰めた亀頭にもしゃぶり付いてきた。

そのままスッポリと喉の奥まで呑み込み、幹を締め付けて吸い、口の中ではクチュクチュと満遍なく舌がからみついた。

たちまち彼自身は美熟女の生温かな唾液にまみれ、ヒクヒクと震えた。

思わずズンズンと股間を突き上げると、

「ンン……」

喉の奥を突かれた芙美子が小さく呻き、自分も顔を上下させ、スポスポとリズミカルに摩擦してくれた。

「アア、いきそう……」

すっかり高まった文夫が口走ると、すぐに芙美子もスポンと口を引き離した。

やはり口に出されるより、一つになって大きな絶頂が得たいのだろう。

「跨いで入れて」

仰向けのまま言うと、芙美子も前進して彼の股間に跨がってきた。そして小指を立てて幹を支えると、唾液に濡れた先端に割れ目を押し付け、息を詰めてゆっくり味わいながら腰を沈めていった。

たちまち彼自身は、ヌルヌルッと滑らかな肉襞の摩擦を受けながら、根元まで完全に呑み込まれてしまった。

「アアッ……、いい……！」

芙美子が顔を仰け反らせて喘ぎ、密着した股間をグリグリ擦り付けた。巨乳が震え、膣口は若いペニスを味わうようにキュッキュッと締まった。

文夫は温もりと感触を味わいながら、両手を伸ばして彼女を抱き寄せた。

芙美子も身を重ね、彼の胸に巨乳を押し付け、彼の肩に腕を回して肌の前面を完全に密着させてきた。

彼は両手でしがみつき、重みと温もりを味わいながらズンズンと股間を突き上げた。

「ああ……、すぐいきそうよ……」

芙美子も合わせて腰を遣いながら喘ぎ、収縮と潤いを増していった。

文夫は彼女の顔を引き寄せ、口から洩れる熱い吐息を嗅ぎ、湿り気ある白粉臭の濃厚な刺激で鼻腔を搔き回されながら突き上げを強めた。

溢れる愛液で律動が滑らかになり、彼の肛門の方まで伝い流れながら、ピチャクチャと淫らな摩擦音が響いた。

「唾を垂らして」

「出ないわ……」

せがむと、喘ぎ続けで口内が乾いているのか、芙美子は答えながらも懸命に分泌させてくれた。そして形良い唇をすぼめて迫り、白っぽく小泡の多い唾液をグジューッと垂らしてくれた。

舌に受けて味わい、うっとりと喉を潤しながら彼は激しく絶頂を迫らせた。

「舐めて……」

芙美子の口に鼻を押し込んで嗅ぎながらせがむと、彼女もヌラヌラと舌を這わせてくれた。文夫は唾液と吐息の匂いに鼻腔を刺激され、心地よい肉襞の摩擦の中で激しく昇り詰めてしまった。

「い、いく……！」

大きな絶頂の快感とともに口走り、ありったけの熱いザーメンをドクンドクンと勢いよくほとばしらせると、

「か、感じる……、アアーッ……！」

噴出を受けた芙美子も、声を上げながらガクガクと狂おしいオルガスムスの痙攣を開始したのだった。

収縮が強まり、彼は駄目押しの快感を心ゆくまで嚙み締め、最後の一滴まで出し尽くしていった。

すっかり満足しながら徐々に突き上げを弱めていくと、

「アア……」

芙美子も熟れ肌の硬直を解きながら声を洩らし、グッタリと彼にもたれかかってきた。まだ膣内は名残惜しげな収縮が続き、刺激された幹が内部でヒクヒクと過敏に跳ね上がった。

「ああ、もう堪忍……」

芙美子も敏感になっているように言い、キュッときつく締め上げた。

彼は美熟女の重みと温もりを受け止め、熱く濃厚な吐息を胸いっぱいに嗅ぎながら余韻に浸り込んでいった。

しばし重なったまま、溶けて混じり合いそうな時間を過ごし、ようやく互いに呼吸を整えると、芙美子がそろそろと身を起こしていった。

そしてチリ紙を手にし、股間を引き離すと割れ目に当てて拭きながら、彼女は愛液とザーメンにまみれたペニスに屈み込んだ。

舌を這わせて先端のヌメリを吸い取り、スッポリ含んで舐め回した。

「あうう、も、もう……」

文夫は腰をくねらせて降参したが、吸引と舌の蠢きで、見る見る回復しながら快感が甦ってきたのだった。

（こ、これは、まさか……）

文夫は体が浮くような感覚を覚え、時を越える兆しを感じたのだ。

「ふ、芙美子さん、離れて。あっちへ飛びそう……」

「まあ……」

口走ると芙美子も驚いて顔を上げ、身を離した。

文夫は自分の脱いだものを両手に抱え、自分も芙美子から距離を取った。

その瞬間、目眩を起こす感覚に見舞われて視界が霞んだ。

「文夫さん、どうかまた来て……」

彼の姿が消えていく様子を見たのか、芙美子の言う声が遠ざかり、気がつくと文夫は現代の仏間に横たわっていたのだった。

「ああ、戻れた……」

文夫は身を起こすと、現代のサッシ窓を見て言い、快感の余韻の中で服とスマホを確認した。

今回ははっきりと、文夫も時空を飛ぶ感覚が分かったような気がした。

恐らく理恵も、この感覚を知りつつあるのだろう。

もう少し慣れれば、いちいち快楽を得なくても、思っただけで行き来できそうな気がしてきた。

現代と過去を自在に飛べれば、もっと互いにとって良いことが工夫できそうな気がしてくる。

今度は、過去を見たがっている江利香と一緒に試してみようと思い、彼は現代のバスルームへ行き、あらためてシャワーを浴びたのだった。

第七話　時代を遊ぶ女たち

1

「自由に行き来できる日が来るのは確かなのだから、今夜にでも過去へ行ってみたいわ」

夕方、帰宅した江利香が文夫に言った。

彼も、昼間に如月和尚が持ってきた写真を見せたので、江利香もすっかりその気になったようである。

「うん、じゃ今夜二人で行ってみようか」

文夫が言うと彼女も頷き、早めに夕食を済ませた。

そして二人で仏間へ行き、服は脱がず畳に座って唇を重ねた。

過去との行き来は、快楽と淫気に作用されると分かってきているので、まずは二人で興奮を高めないといけない。

江利香も分かっているので、うっとりと身を寄せて長い睫毛を伏せていた。

文夫は、ピッタリと密着する江利香の唇の感触と唾液の湿り気を味わい、熱い鼻息で鼻腔を湿らせながら舌を挿し入れた。

滑らかな歯並びを舐めていると、江利香も歯を開いて舌を触れ合わせ、そのままチロチロとからみつけてくれた。

「ンン……」

江利香が熱く鼻を鳴らし、きつく彼にしがみついてきた。文夫も興奮に、痛いほど股間を突っ張らせた。

しかし、互いに淫気が高まっているのに、一向に時を飛ぶような兆しが感じられないのである。

文夫は、いったん唇を離した。

「変だね。あの感覚が湧かない」

「そう、まだ芙美子さんたちが起きている時間にと思ったのだけど」

言うと、江利香も小首を傾げていた。

もしかしたら、すでに理恵が文夫の子を孕み、江利香の祖母を作るという役目が終わったので、しばらく時の穴が塞がれたのではないだろうか。

そんなことを思ったが、すでに江利香は興奮の灯が点いてしまったらしく、

「もう少し続けてみましょう」

言ってブラウスを脱ぎはじめたので、彼も隅に畳んであった布団を敷き延べ、自分も手早く全裸になってしまった。

本格的にセックスしたまま過去へ飛んだとしても、すでに母娘と関係を持っているので何とでも取り繕えるだろう。

たちまち互いに全裸になると、彼は仰向けになった江利香にのしかかり、左右の乳首を含んで舐め回し、揺らめく濃厚な体臭に酔いしれた。

今日も彼女は、大学から帰ってシャワーを浴びていない。

文夫は両の乳首を味わい、腋の下にも鼻を擦りつけ、濃厚に甘ったるい汗の匂いでうっとりと胸を満たした。

そして肌を舐め降り、例の如く股間を通り越して足裏を舐め、指の股に鼻を割り込ませてムレムレの匂いを貪った。

興奮は高まっているが、まだ時間を飛ぶ気配は感じられない。

「アア……」

江利香の方は、すっかり時代を飛ぶことなど忘れたように、爪先をしゃぶられて喘いでいた。

文夫は両足とも味と匂いを貪り尽くしてから、彼女の股を開かせて脚の内側を舐め上げていった。

白くムッチリと張りのある内腿を舌でたどり、股間に迫ると熱気と湿り気が悩ましい匂いを含んで籠もっていた。

茂みに鼻を埋め込んで嗅ぐと、蒸れた汗とオシッコの匂いが馥郁と鼻腔を掻き回し、胸に沁み込んできた。

舌を這わせると淡い酸味のヌメリが迎え、彼は息づく膣口の襞からクリトリスまでゆっくり舐め上げていった。

「アアッ、いい気持ち……」

江利香が熱く喘ぎ、内腿できつく彼の両頬を挟み付けてきた。

文夫は執拗に舐め回しては溢れる愛液をすすり、さらに彼女の両脚を浮かせ、尻の谷間にも鼻を埋め込んだ。

双丘に顔中を密着させ、蕾に籠もる蒸れた匂いを貪り、舌を這わせてヌルッと潜り込ませると、

「あう……」

いつもの反応で、彼女は呻きながらキュッときつく肛門で舌先を締め付けた。

そして前も後ろも存分に味わうと、彼は添い寝し、今度は愛撫を受ける番とばかりに仰向けになっていった。すぐ江利香も身を起こし、彼の開いた脚の間に腹這い、股間に顔を寄せてきた。

熱い息を籠もらせ、陰嚢をしゃぶって睾丸を転がしてから、肉棒の裏側をゆっくり舐め上げた。

滑らかな舌が先端まで来ると、粘液の滲んだ尿道口がチロチロと舐められ、そのまま江利香は丸く開いた口にスッポリと根元まで呑み込んでくれた。

「ああ、気持ちいい……」

文夫も快感に喘ぎ、江利香の口の中でヒクヒクと幹を震わせた。

彼女は上気した頬をすぼめて吸い付き、口の中では満遍なく舌をからめ、彼自身を温かな唾液にまみれさせた。

さらに顔を上下させ、スポスポと強烈な摩擦を開始した。

「あう、いきそう……」

文夫が急激に高まって口走ると、すぐに江利香もスポンと口を離し、身を起こして前進してきた。

もうすっかり江利香は、文夫が女上位を好むのを熟知し、彼女も気ままに動ける上が好きになってるようだった。

先端に濡れた割れ目を押し当て、ゆっくり腰を沈めて先端を膣口に受け入れていった。

たちまち彼自身はヌルヌルッと滑らかに根元まで嵌まり込み、彼女の股間がピッタリと密着してきた。

「アア、いいわ……」

江利香が顔を仰け反らせて喘ぎ、何度かグリグリと股間を擦り付けてから、ゆっくり身を重ねてきた。

彼も両手を回して抱き留め、両膝を立てて尻を支えた。

江利香は相当に高まっているようで、すぐにも腰を遣いはじめ、リズミカルな摩擦を開始した。

文夫もズンズンと股間を突き上げ、江利香の吐き出す花粉臭の濃厚な息で鼻腔を刺激されながら、激しく絶頂を迫らせていった。

「アア、いっちゃう……！」

たちまち江利香が収縮と潤いを増して喘ぐなり、ガクガクと狂おしいオルガスムスの痙攣を開始した。

その収縮に巻き込まれると、

「く……！」

文夫も呻きながら、たちまち昇り詰めてしまったのだった。

2

「ああ、気持ちいい……」

文夫は思いきり熱いザーメンをほとばしらせながら口走り、心置きなく最後の一滴まで出し尽くしていった。

すっかり満足しながら徐々に突き上げを弱めていくと、

「ああ……」

江利香も声を洩らし、肌の硬直を解きながらグッタリともたれかかった。

文夫は重みと温もりを受け止め、まだ息づく膣内でヒクヒクと過敏に幹を震わせた。そして甘い花粉臭の吐息を嗅いで鼻腔を刺激されながら、うっとりと余韻に浸り込んでいった。

重なったまま力を抜き、荒い呼吸を整えていたが、

「何も異変は起きなかったわね……」

江利香が言い、ノロノロと身を起こした。

「本当に気まぐれだね……」

文夫も、二人で過去へ行けると思ったが拍子抜けしたように言った。

「じゃシャワー浴びてくるわ……」

江利香が脱いだものを抱えて言い、仏間を出ていった。

文夫はしばらく横になっていたが、やはり時間の穴は現れないようで、仕方なく起き上がってティッシュで股間を拭いた。

そして身繕いをすると、ちょうど江利香がバスルームから出てきた。

「じゃ僕はアパートへ戻るね」

「ええ、私は明日大学へ行けば一段落するので、明日も朝から留守番をお願いしてもいいかしら」

「うん、じゃ朝にまた来るね」

文夫は答え、そのまま田代家を出ると、すぐに江利香も内側から戸締まりをしたのだった。

アパートの部屋に戻ると、文夫はシャワーを浴びてから寝ることにした。

そろそろ大学にも顔を出さなければならないが、もうレポートは出したし、明日一日ぐらいサボっても問題ないだろう。

やがて彼は眠りに就き、翌朝起きると顔を洗い、江利香にメールしてからアパートを出て田代家へ行った。

江利香もすぐ鍵を開けてくれ、彼は上がり込んで一緒にトーストとハムサラダの朝食を済ませた。

「じゃ私は行くので、また仏間で行けるかどうか試してみて」

江利香は言い、そのまま大学へ出向いていった。文夫も、いつものように玄関を内側から施錠して仏間に戻った。

すると、何とそこには理恵が来ていたではないか。

「り、理恵ちゃん……」

何やら、いつもと様子の違う理恵に文夫が言うと、彼女も涙ぐんで笑みを浮かべながら縋り付いてきた。

「アア、やっと来られたわ。良かった……」

理恵が言い、文夫は微妙に服装や顔立ちの違う彼女に戸惑った。

「朝から来たりして、今日は工場はお休みなのかな？」

「え……？　もう工場は行ってません。日本が負けたので、私は赤ちゃんを抱えて、母と毎日家に……」

「何だって……、じゃ昭和十八年から来たんじゃないのか……」

文夫は驚いて、思わず近々と彼女の顔を覗き込んで言った。

「ええ、二年ぶりに来られたけど、文夫兄様は若いまま、全然お変わりないんですね」

「二年ぶり……、じゃ昭和二十年の秋から来たの……？」

「そうです。こちらでは、全くあの時のままなんですか……」

二十歳の子持ちになった理恵が言い、とにかく落ち着こうと、文夫は仏間を出て、リビングのソファに一緒に座った。

「そうか、あちらでは二年が経っていたのか……。僕はつい先日、十八歳の理恵ちゃんに会ったばかりなのに」

「ええ、会えなくて辛かったです。二年の間に、色んなことがありました」

理恵が言い、文夫は冷蔵庫からペットボトルのお茶を出して、彼女の話を聞くことにした。

あれから理恵が妊娠し、とにかく芙美子は早めに彼女の夫を探して一緒にさせた。若い夫は出征し、理恵は女の子を産み、工場にも行かれず母娘は苦労したらしい。

そして美保の夫も大陸で戦死したと報せが来て、さらには理恵の夫も南方で戦死ということだ。

美保は子を連れて親戚を頼って疎開、芙美子と理恵の母娘三人はここにとどまり、やがて終戦を迎えた。

その間、何度となく母娘は仏間から令和へ来ようとしたようだが、それは叶わなかったようだ。もちろん理恵は、今日も仏間でオナニーをして、二年ぶりに時間を飛べたらしい。

「そ、それは、一番大変な二年間を放っておいて申し訳ない。全く気まぐれで困るよ。でも、もう大丈夫だと思うよ。あとで米や味噌を買うので、あちらへ持っていくといい」

文夫は言い、それより大人びた理恵に言いようのない淫気を抱いてしまった。

髪型も笑窪も変わりないが、やはり二十歳前後の顔立ちになり、栄養状態が万全とは言えないだろうが、芙美子に似て胸も豊かになっていた。

そして地味なブラウスにスカート姿で、美保のように長い髪も後ろで引っ詰めていた。

空腹だろうと思い、キッチンに余っていたトーストとハムサラダ、牛乳を出してやり、理恵が食べている間に文夫は江利香へメールした。

『理恵ちゃんが来た。しかも終戦後で、あれから二年経ってしまったらしい』

すると、すぐに江利香から返信があった。

『分かったわ。なるべく早く帰るから、良く話を聞いておいて』

そう書かれ、文夫も了解の返信をした。

「じゃ買い物に行こう」

文夫は食事を終えた理恵に言い、江利香の部屋から薄手のコートを持って来て羽織らせた。それなら、地味で薄汚れた服も隠れるだろう。

どうせ近所のスーパーへ行くだけである。

やがて二人で買い物に出て、米と味噌、缶詰に日用品など、一度に多くは持てないので最小限必要なものだけを選んで、三つの袋に詰め込んだ。

何とか文夫の財布にあった金を全て使い、二人で荷物を抱えて帰宅した。

それを仏間に置き、隅に畳まれた布団を敷いた。やはり、始めなければ過去へ戻れないだろう。

すると理恵も察したように、二人で手早く全裸になったのだった。

3

「ああ、何だか久しぶりでドキドキします」

理恵が、仰向けに身を投げ出して声を震わせた。

何しろ彼女は、あれから出征兵士と見合い結婚をし、ろくに新郎とセックスしないまま出産という大仕事をし、そのまま後家になってしまったのだ。それでも仏間に来るたびオナニーしていたので、淫気だけは衰えていないだろう。

そして文夫も、最近会ったばかりの理恵が美少女から急に二十歳の大人になっており、新鮮な淫気に満たされていた。

とにかく、行き来できるようになれば母娘と赤ん坊の今後は安泰だし、そもそも田代家は官僚の家柄なのだから、いずれ優秀な入り婿を迎えることになるのだろう。

文夫は、まず理恵の足裏に舌を這わせ、縮こまった指の股に鼻を押し付けて嗅いだ。

恐らく、短い期間だけ暮らした夫も、ここは舐めていないかも知れない。

彼はムレムレの匂いを貪り、爪先にしゃぶり付いて全ての指の間に舌を割り込ませて味わった。

「あう……、ダメ……」

理恵がビクリと脚を震わせて呻いた。ほぼ二年ぶりに触れられ、相当に感じているようだった。

文夫は両足とも味と匂いを貪り尽くし、脚の内側を舐め上げ、ムッチリした内腿をたどって股間に迫った。

はみ出した陰唇を指で広げると、すでに子を生んでいる膣口が息づき、思っていた以上に大量の愛液が溢れていた。

顔を埋め込み、柔らかな茂みに鼻を擦りつけて嗅ぐと、濃厚に蒸れた汗とオシッコの匂いが鼻腔を刺激してきた。

文夫は悩ましい匂いで胸を満たしながら舌を這わせ、淡い酸味のヌメリを掻き回し、膣口からクリトリスまで舐め上げていった。

「アアッ……！」

理恵がビクッと顔を仰け反らせて喘ぎ、文夫は執拗に舌を這わせては新たに溢れる蜜をすすった。

「ど、どうか、入れて下さい……」

理恵が声を上ずらせてせがんだ。愛撫よりも、早く一つになりたいのだろう。

文夫も身を起こして股間を進め、幹に指を添え、先端を濡れた割れ目に擦り付けながら位置を定めていった。

ゆっくり挿入していくと、ヌルヌルッと滑らかに彼自身は根元まで吸い込まれた。子を生んでいても、締め付けは前と変わらず、中は熱いほどの温もりが満ちていた。

「ああ、すごい……」

理恵が喘ぎ、両手を伸ばして彼を抱き寄せた。文夫も温もりと感触を味わいながら身を重ね、屈み込んで色づいた乳首にチュッと吸い付いた。

すると、生ぬるく薄甘い母乳が滲んできたではないか。彼は美保としたときのことを思い出し、夢中で吸い付いては喉を潤した。

「アア……、飲んでいるの……？」

理恵も下で身悶えながら喘ぎ、新たな乳汁を分泌させてきた。

文夫は左右の乳首を交互に含んで舐め回し、滲む母乳を味わった。

さらに腋の下にも鼻を埋め込み、生ぬるく湿った和毛に籠もる濃厚に甘ったるい汗の匂いに噎せ返った。

すると待ち切れないように、理恵がズンズンと股間を突き上げはじめた。自分から快楽を求めて動く理恵の仕草は、実に新鮮な反応であった。

文夫も合わせて腰を遣い、心地よい肉襞の摩擦に身を委ねながら、上からピッタリと唇を重ねていった。

舌を挿し入れ、ネットリと舌をからませて生温かな唾液を味わった。

「アア、いきそう……」

理恵が口を離して言い、文夫も動きを強めながら熱い吐息を嗅いだ。それは美少女時代と同じ甘酸っぱい濃厚な果実臭が含まれ、悩ましく鼻腔が刺激された。

「い、いっちゃう……、アアーッ……！」

たちまち理恵が口走り、彼を乗せたままガクガクと腰を跳ね上げた。

どうやら、あっという間に大きなオルガスムスを迎えてしまったようだ。まだおしゃぶりしてもらっていないので、果てるのが勿体なかったし、それに、あまりに彼女の絶頂が早かったのである。

吸い込むような収縮が活発になったが、彼は昇り詰めなかった。まだおしゃぶりしてもらっていないので、果てるのが勿体なかったし、それに、あまりに彼女の絶頂が早かったのである。

「アア……」

硬直を解き、理恵が声を洩らしてグッタリと身を投げ出した。彼は、そっと股間を引き離して添い寝すると、

「いかなかったのですね。済みません、私ばかり勝手にいってしまって……」

理恵が息を弾ませながら言い、そろそろと顔を移動させていった。

そして彼が仰向けになると、理恵が屈み込み、自らの愛液にまみれているのも構わず、先端に舌を這わせ、スッポリと呑み込んでくれたのだった。

「ああ、気持ちいい……」

文夫は身を投げ出し、理恵の口の中で唾液にまみれながら高まっていった。

「どうします、お口に出しますか」

「跨いで入れてもらってもいい？」

「はい、私もまだまだ大丈夫ですので」

言うと理恵が身を起こし、彼の股間に跨がってきた。そして先端を再びヌルヌルッと膣内に受け入れ、股間を密着させてきた。

「アア、何ていい気持ち……」

理恵が身を重ねて言い、彼も抱き留めながら再び潜り込んで母乳を味わった。

ズンズンと股間を突き上げると、

「ああ、またすぐいきそう……」

理恵も腰を遣いながら喘いだ。最初は性急に果てたので、今度こそジックリ快感を噛み締めているのだろう。

文夫は充分に生ぬるい母乳で喉を潤すと、彼女の喘ぐ口に鼻を押し込み、濃厚な果実臭の吐息を胸いっぱいに嗅ぎながら突き上げを強めていった。

「い、いきそう……」

文夫が絶頂を迫らせて口走ると、何やら身体が浮くような感覚になった。これは久々に時を越える兆しだった。

「い、いけない……、急いで服と荷物を引き寄せて……、あう……！」

文夫は言いながら、横にある二人分の服と荷物を引き寄せながら、たちまち昇り詰めてしまった。

「アア、気持ちいい……！」

文夫は喘ぎながらドクンドクンと勢いよく射精し、

「ああ、またいく……！」

理恵も声を上げ、一緒に服と荷物を抱え込んだ。

そして彼が最後の一滴まで出し尽くすと、一瞬目眩がし、気がつくと二人は過去の仏間に横たわっていたのだった。

4

（こ、ここが昭和二十年の世界……？）

文夫は余韻の中、理恵の重みを感じながら周囲を見回した。

そこは、終戦から二ヶ月足らずで、もう空襲もないのに窓ガラスにはまだ縦横にテープが貼られたままになっていた。

理恵の赤ん坊がいるので、もう芙美子も女学校の教員を辞め、貯えで暮らしているのだろう。

「い、家に芙美子さんがいるなら早く服を着ないと……」

「大丈夫、庭で子守りをしているわ」

文夫が言うと、身を離した理恵がそっと窓から庭を見て答えた。

とにかく二人は手早くチリ紙で互いの股間を拭き、服を着たのだった。

幸い、未来で買った荷物も全て一緒に過去へ来ていた。

文夫もそっと窓から外を見てみると、四十一歳となった芙美子が赤ん坊を背負って庭を歩いていた。赤ん坊は眠っているようで、芙美子もさしてやつれた様子もなく安心したものだった。

やがて文夫は理恵と荷物を抱えて茶の間へ移動すると、ちょうど芙美子も中へ戻ってきたところだった。

「まあ、来ていたのですね……！」

芙美子が、文夫の顔を見て顔を輝かせた。

「済みません、なかなか行き来できずに」

「二年ぶりかしら、でも文夫さんは全く変わりないわ」

「ええ、向こうは時が流れていなかったので」

文夫が答えると、芙美子は懐かしげに彼を見つめ、理恵が赤ん坊を受け取って布団に寝かせた。

この女の子が、江利香の祖母になるのだろう。文夫の子かも知れず、理恵も分かっているだろうが彼はあえて何も言わず、感慨深げに眠っている子を見た。

「いろいろ買ってもらいました」

理恵が包みを開け、米や味噌、缶詰などを卓袱台に並べた。

「すごいわ……、助かります。缶切りをどこへ仕舞ったかしら」

「ああ、これは全て手で開けられるので」

「まあ、何て便利な……」

芙美子は目を丸くし、順々に鮭や牛肉の缶詰を眺めた。

「理恵ちゃんから全て話は聞きました。大変だったでしょうが、もう大丈夫ですので」

「ええ、本当に、女ばかりで途方に暮れていたのです」

文夫が言うと芙美子も安堵の色を浮かべ、手を合わせて答えた。

「じゃ、これを使って食事の仕度をしますね。ずっとスイトンばかりだったので」

「ええ、せっかくだから僕は少し外を歩いてみます」

文夫が言って立つと、一緒に理恵もついてきた。

外に出ると、広い庭にはアパートもなく、周囲の家々も平穏そうだった。ここらは空襲もなく、終戦直後という焼け跡のイメージはなかった。

「美保さんも、近々疎開先から帰ってくるようです」

「そう、みんな無事で良かった」

文夫は言い、七十八年前の品川界隈を歩いた。坊主頭でなくても、道行く男はみな髭面に髪もぼうぼうだし、もう恐い憲兵や特高、婦人会のオバサンたちもいない。

たまに向こうの通りを進駐軍らしいジープが横切ったが、こちらの路地の方まで来ることはなかった。

「終戦になったときは、やはりショック、いや、衝撃だった？」

「ええ、それはもう、何日も魂が抜けたようにぼうっとしていたんです。でも文夫兄様は日本が負けることを知っていたんですね」

「ああ、やはり先のことは言うわけにはいかなかったからね」

「でも、先の世界はあんなに便利になっていたのだから、今は発展が楽しみです。私、手帳に日記を書きはじめました」

「そう、あまり先のことは書かないように」

「ええ、肝心なことはぼかしますので」

　理恵が答え、やがて二人は一回りしただけで家へと戻った。

　赤ん坊はよく眠っているので、理恵も台所にいる芙美子を手伝った。

　その間、文夫は江利香にメールしておいた。

『僕まで終戦直後の世界へ来ちゃった。戻ったら詳しく話すね』

　そのように送信すると、すぐにも江利香からの返信が届いた。

『どうして私だけ行けないのかしら。行ってみたいのに残念だわ』

『間もなく行き来できるよ。過去の写真に江利香さんも写っていたんだから』

『そうね、じゃ待ってるので気をつけて見聞してきてね』

　江利香が言い、文夫もスマホを切った。

　文夫も、何やらこのままこの世界にいたくなってしまった。

　もう戦争はないし、何しろ彼には未来の記憶があるのだから、先にヒット曲を発表したり、ベストセラーを先に書いてしまうことなど出来るかも知れない。

（まあ、そうはいかないだろうな……）

　文夫は思った。

　彼にも未来には両親もいるし、時間の抜け穴も気まぐれで、そう都合よく開くとも限らないのである。

やがて久々に風呂も沸かし、食事の仕度が調ったので、昼過ぎの中途半端な時間だったが、皆で炊きたての飯と味噌汁、缶詰で食事をした。

「こんな豪華なお食事は久しぶりだわ」

芙美子が言い、彼は缶詰しか思い浮かばず済まないと思った。

そして文夫は、母娘からさらに必要なものを聞き出しておいた。

やはり未来のものは置いていってはいけないだろうから、空の缶や米や味噌の包装紙などは未来へ持ち帰るつもりである。

だからティッシュなどは持ってこず、大部分は食料や石鹼などの消耗品に限定することにした。

食事を終えると彼は風呂に入れてもらい、久々に小判型の風呂桶に浸かった。

風呂から上がると、理恵は目を覚ました赤ん坊に乳を遣り、二人で自分の部屋に入って横になったようだ。

「だいぶ安心したようだし、疲れも溜まっていたので、理恵は赤ん坊と一緒に眠ってしまったわ」

芙美子が言い、文夫はこの美熟女に激しい淫気を覚えた。

芙美子は相変わらずスッピンだし、すでに孫もいるのだが、まだ四十一歳の女盛りである。何しろ文夫にとっては最初の女性なので、思い入れも深かった。

それに、快楽を得なければ未来へ戻れないのである。

それは芙美子も心得ているように、仏間に床を敷き延べてくれたのだった。

5

「じゃ、芙美子さんも脱いで下さいね」

勃起しながら全裸で布団に仰向けになり、文夫は言った。

すでに米も味噌も缶詰も、全てこの家にある器へと移し、空になったものはスーパーの袋に一つにまとめて仏間に置いた。

「身体を流さなくて良いのかしら……」

「ええ、どうかそのままで」

言うと芙美子も淫気に突き動かされるように、黙々と服を脱ぎ去って一糸まとわぬ姿になっていった。

芙美子が添い寝してくると文夫は、この大変な時代でも健在な白い巨乳に顔を埋め込んでいった。

チュッと乳首に吸い付いて舌で転がし、柔らかな膨らみに顔中を押し付けて弾力を味わった。

「アア……」

芙美子も久しぶりだからすぐにも熱く喘ぎ、彼の顔を胸に抱きすくめて髪を撫で回してきた。

文夫は心地よい窒息感に噎せ返りながら、のしかかって左右の乳首を交互に含んで舐め回した。

仰向けになった芙美子もクネクネと身悶え、熱い息遣いを繰り返していた。

腋の下に鼻を埋め込み、色っぽく柔らかな腋毛に鼻を擦りつけて嗅ぐと、何とも甘ったるい濃厚な汗の匂いが悩ましく鼻腔を搔き回してきた。

文夫は美熟女の生ぬるい体臭でうっとりと胸を満たし、白く滑らかな熟れ肌を舐め降りていった。

形良い臍を舐め、弾力ある下腹に顔中を埋め込み、豊満な腰のラインから脚を舐め降りた。もちろん股間を最後に取っておき、まばらな体毛のある脛から足首へ降り、足裏に回り込んで舌を這わせた。

形良く揃った足指に鼻を押し付けて嗅ぐと、汗と脂に湿った指の股は、今まで一番濃厚に蒸れた匂いが沁み付いていた。

文夫は充分に美熟女の足の匂いを貪ってから、爪先にしゃぶり付いて舌を割り込ませていった。

「アア、駄目……」

芙美子が嫌々をして喘いだが、やはり別室で眠っているとはいえ理恵を起こさないよう声は抑え気味だった。

文夫は両足とも味と匂いを貪り尽くすと、芙美子の股を開かせて脚の内側を舐め上げていった。

白くムッチリとした内腿を通過し、股間に迫ると顔中を熱気が包み込んだ。

黒々と艶のある茂みに鼻を擦りつけ、蒸れた汗と残尿臭を嗅ぎながら割れ目に舌を挿し入れていった。

理恵が生まれ出た膣口の襞をクチュクチュ掻き回すと、淡い酸味のヌメリが舌の蠢きを滑らかにさせた。

味わいながらツンと突き立った真珠色のクリトリスまで舐め上げていくと、

「アアッ……、いい……」

芙美子が身を弓なりに反らせて喘ぎ、量感ある内腿できつく彼の顔を挟み付けた。文夫も執拗にチロチロとクリトリスを舌先で弾くように愛撫しては、新たに漏れてくるヌメリをすすった。

そして味と匂いを堪能すると、彼女の両脚を浮かせ、豊満な逆ハート型の尻に迫った。

谷間にひっそり閉じられた薄桃色の蕾に鼻を埋め込むと、顔中に豊かな双丘が密着し、秘めやかに蒸れた匂いが悩ましく鼻腔を刺激してきた。

淡いビネガー臭に似た匂いを貪ってから、舌を這わせて細かな襞を濡らし、ヌルッと潜り込ませて滑らかな粘膜を探ると、

「あう、駄目……」

芙美子が呻き、モグモグと肛門で舌先を締め付けてきた。

文夫も執拗に内部で舌を蠢かせては、微妙に甘苦い粘膜を味わうと、鼻先の割れ目から白っぽく濁った本気汁が垂れてきた。

ようやく脚を下ろし、愛液を舐め取りながら再びクリトリスに吸い付くと、

「も、もう堪忍……、今度は私が……」

芙美子は言って身を起こし、性急に彼の股間に顔を寄せてきた。

やはり久々の行為なので、舌で果てるより一つになりたいのだろう。

入れ替わりに仰向けになると、文夫は大股開きになった。

すると芙美子は彼の足を浮かせ、自分がされたように尻の谷間を舐め回し、熱い息を籠もらせてヌルッと潜り込ませてきたのだ。

「く……」

彼は妖しい快感に呻き、肛門で味わうように美熟女の舌先を締め付けた。

内部で舌が蠢くたび、勃起した幹がヒクヒクと上下して粘液が滲んだ。

ようやく脚が下ろされると、芙美子は陰嚢にしゃぶり付き、丁寧に舌を這わせて睾丸を転がした。

そしてせがむように幹が震えると、彼女も前進して肉棒の裏側をゆっくりと舐め上げてきた。

芙美子は先端まで来ると濡れた尿道口をチロチロと舐め回し、張り詰めた亀頭をくわえると、吸い付きながら喉の奥まで呑み込んでいった。

「ああ……」

文夫は、薄寒い仏間の中、快感の中心部だけが温かく濡れた美熟女の口腔に包まれて喘いだ。

「ンン……」

芙美子も深々と頬張って熱く鼻を鳴らし、上気した頬をすぼめて吸い付きながらネットリと舌をからめてきた。

彼が快感に任せてズンズンと股間を突き上げはじめると、芙美子も顔を上下させ、濡れた口でスポスポとリズミカルな摩擦を繰り返してくれた。

「い、いきそう……」

すっかり高まった文夫が言うと、すぐに芙美子もスポンと口を離し身を起こして前進してきた。

どうやら全ての女性が彼の性癖に合わせ、女上位が自然になっているようだ。

芙美子は仰向けの彼の股間に跨がり、唾液に濡れた先端に割れ目を押し付けてきた。

そして久々の感触を味わうように、ゆっくり腰を沈め、ヌルヌルッと滑らかに根元まで膣口に受け入れていった。

6

「アアッ……！　奥まで届くわ……」

芙美子がピッタリと股間を密着させ座り込み、顔を仰け反らせて喘いだ。

そして若いペニスをキュッキュッと締め付けると、文夫も心地よい温もりと感触に激しく高まった。

両手を伸ばして引き寄せると、芙美子もゆっくりと身を重ね、彼は抱き留めながら両膝を立てて豊満な尻を支えた。

すると芙美子が顔を寄せ、上から熱烈に唇を重ねてきたのだ。

文夫も密着する美熟女の唇を味わい、熱い息で鼻腔を湿らせながら舌を挿し入れていった。彼女もチロチロと舌をからめ、生温かな唾液を注ぎ込んでくれた。

彼はうっとりと味わい、生温かく小泡の多い唾液で心地よく喉を潤した。

しかも芙美子は顔を交差しては反対側に向きを変えるので、そのたびに互いの唇が擦れ合い、ガツガツした貪るようなキスを繰り返した。

控えめで清楚な芙美子も、これほど激しく欲求を溜め込んでいたのかと思うと、彼自身は膣内でヒクヒクと歓喜に震えた。

やがて舌をからめながら彼女が腰を遣いはじめると、文夫も股間を突き上げ、たちまち互いの動きが一致して滑らかな摩擦が繰り返された。

「アア、感じる……！」

芙美子が口を離し、淫らに唾液の糸を引きながら喘いだ。口から吐き出される熱い吐息は、白粉臭の刺激を含んで悩ましく彼の鼻腔を掻き回した。

いつしか互いに股間をぶつけ合うように動くと、大量に溢れる愛液で律動が滑らかになり、ピチャクチャと淫らに湿った摩擦音が響いてきた。

互いの股間は愛液でビショビショになり、膣内の潤いと収縮が高まっていった。

「い、いく……、アアーッ……！」

たちまち芙美子が声を震わせ、ガクガクと狂おしいオルガスムスの痙攣を開始した。

続いて文夫も、何とも心地よい摩擦と、熱く悩ましい吐息の匂いに昇り詰めた。

「く……、気持ちいい……！」

彼は口走り、熱い大量のザーメンをドクンドクンと勢いよくほとばしらせると、

「あう、もっと……！」

噴出を感じた芙美子が駄目押しの快感に呻き、飲み込むようにキュッキュッときつく締め上げてきた。

文夫は股間を突き上げながら快感を嚙み締め、心置きなく最後の一滴まで出し尽くしていった。

満足しながら突き上げを弱めていくと、

「アア……」

芙美子も声を洩らし、熟れ肌の硬直を解いてグッタリともたれかかってきた。

まだ膣内は名残惜しげな収縮が繰り返され、刺激された幹が中でヒクヒクと過敏に跳ね上がった。

「あう……」

芙美子も敏感になっているように呻き、文夫は重みと温もりの中、かぐわしい吐息を胸いっぱいに嗅ぎながら、うっとりと快感の余韻に浸り込んでいったのだった。

「また出来るなんて、すごく嬉しい……」

芙美子が荒い息遣いとともに囁き、文夫もすっかり動きを停めて身を投げ出した。やがて彼女がそろそろと股間を引き離し、身を起こしたので文夫も起き上がった。

そして一緒に仏間を出て廊下を進み、風呂場へと移動した。まだ日のあるうちだが、すっかり安心したように理恵は眠り込んでいるらしい。

手桶に汲んだ湯で互いの股間を洗い流すと、文夫は簀の子に座り込んで目の前に芙美子を立たせた。

「出して……」

言うと、これも心得たように芙美子は文夫の顔に向けて股間を突き出してくれた。そして自ら指を割れ目に当てがい、グイッと陰唇を左右に広げてくれたのである。何やら幼子のため、果実の皮を剝いて食べさせてくれるかのような仕草だった。

文夫は彼女の腰を抱え、股間に鼻と口を埋め込んだ。

湯に濡れて恥毛に沁み付いていた匂いは薄れてしまったが、柔肉を舐めると新たな愛液が湧き出して舌の動きがヌラヌラと滑らかになった。

「あう、出るわ……」

芙美子もすっかり尿意を高めて呻き、間もなくチョロチョロと熱い流れを漏らしてくれた。文夫は舌に受けて味わい、うっとりと喉を潤した。

「アア……」

芙美子はガクガクと膝を震わせて喘ぎ、彼の頭に両手を乗せながら、ゆるゆると放尿を続けてくれた。

味も匂いも控えめだが、勢いが増すと口から溢れた分が、心地よく肌を伝い流れ、すっかり回復したペニスが温かく浸された。

やがて勢いが衰えると流れが治まり、ポタポタ滴る余りの雫に愛液が混じり、ツツーッと糸を引いて滴った。

文夫は舐め回し、残り香の中で割れ目を貪った。

「も、もう堪忍……」

彼女が言って股間を引き離し、木の椅子に座り込んでもう一度身体を流した。

文夫も湯を浴び、互いに身体を拭くと風呂場を出て、理恵を起こさないよう全裸のまま忍び足で廊下を通り、仏間に戻った。

外は、そろそろ日が傾きはじめている。

「じゃ、僕はいったん未来へ帰るので、またすぐ食料を持って戻ってきます」

「ええ、じゃどうしたらいいかしら」

彼が言うと、芙美子が答えた。

「では芙美子さんは廊下から、これをお口で可愛がって下さい」

文夫はすっかり回復し、元の硬さと大きさを取り戻した幹を震わせて言った。

そして自分の足元には、脱いだ服と空き缶などを入れたスーパーの袋を置いておいた。芙美子も、いったん身繕いをしてから廊下に膝を突いて、顔だけ仏間に差し出した。

文夫も立ったまま、仏間から廊下に向けて股間を突き出し、先端を美熟女の鼻先に突き付けた。

芙美子も、両手で幹を包み込むと舌を伸ばし、先端を舐め回してから亀頭を含み、吸い付きながら舌をからめ始めてくれた。

「ああ、気持ちいい……」

文夫は、大胆におしゃぶりする美熟女の顔を見下ろしながら喘ぎ、我慢することはないので急激に高まってきた。

芙美子も熱い息で彼の恥毛をそよがせながら、顔を前後させスポスポとリズミカルな摩擦を繰り返してくれた。

彼自身は温かな唾液にまみれ、たちまち絶頂を迎えてしまったのだった。

7

「い、いく、気持ちいい、アアッ……！」

　文夫は腰を前後させながら絶頂の快感に喘ぎ、ありったけの熱いザーメンをドクンドクンと勢いよくほとばしらせてしまった。

「ク……、ンン……」

　喉の奥を直撃された芙美子が小さく呻き、それでも強烈な摩擦と吸引、舌の蠢きは続行してくれた。

　文夫は快感に立っていられないほど膝をガクガクさせ、最後の一滴まで美熟女の口に搾り出していた。

「ああ……」

　すっかり満足しながら声を洩らし、腰の動きを停めると、芙美子も亀頭を含んだまま動きを停めてくれた。

　そして口に溜まったザーメンをコクンと一息に飲み干すと、

「あう」

キュッと口腔が締まり、彼は駄目押しの快感に呻いた。

ようやく芙美子も口を離したが、なおも両手のひらで幹を錐揉みにし、余りを絞り出すと、尿道口に脹らむ雫まで丁寧に舐め取ってくれた。

「も、もういいです、有難う……」

文夫はヒクヒクと過敏に幹を震わせ、降参するように声を搾り出した。

そして芙美子が舌を引っ込めると、文夫は座り込みたい衝動に駆られたが、そのとき軽い目眩と浮遊感を覚えた。

「と、飛びそうです。ではまた近々……」

文夫が慌てて足元に置いた服と荷物を抱えて言うと、見る見る目の前の芙美子の姿が薄らいでいった。

芙美子から見れば、同じように彼の姿が消え失せていったのだろう。

気がつくと、そこは現代の仏間だった。

(ああ、戻れたか……)

文夫は周囲を見回して思った。

もう日が落ち、外には夕闇が立ち籠めはじめている。

奥からシャワーの音が聞こえているので、恐らく江利香が帰宅したところなのだろう。

文夫は手早く身繕いをし、スーパーの袋を持って仏間を出た。

するとちょうど江利香もバスルームから出てきたようだ。誰もいないと思っているので、ブラと下着姿である。

「あら、戻っていたの」

「ええ、これを買って渡してきました」

文夫が答えると、江利香はスーパーの袋を開いてゴミを分別した。

「お米と味噌はいいけど、缶詰よりは肉や野菜の方がいいわね」

「ええ、すぐ思い付かなくて。でも、またすぐ何か買っていくと約束しました」

文夫が言うと、江利香も身繕いをし、終戦直後の話を彼から聞いた。

「そう、それで明日は文夫君どうする？」

「うん、さすがにそろそろ明日から大学へ戻らないと」

「じゃ今からスーパーへ買い物に行きましょう。まだ向こうも寝る時間じゃないだろうし、私も今夜のうち少しでも多く試したいので」

江利香が言い、思い立ったらてきぱきと出かける仕度をした。

そして一緒に玄関を出て施錠し、スーパーまで歩いた。

「終戦直後のこの辺りを歩いたんだ」

「そう、どんなだった？」

歩きながら江利香が訊いてくる。

「焼けた家もなく、すごく静かだった。ただ当時のまま建っている屋敷は田代家だけだけれど」

文夫は話し、やがてスーパーで米と味噌と醤油などの補充、そして肉と野菜を見繕って買い込んだ。

今度は、全て江利香が支払ってくれた。

二人は大荷物を抱えて家へ戻り、それらを仏間に置いた。

そしてすぐにも江利香が布団を敷き延べたのである。

「今度こそ行ける気がするので、脱がずに気分だけ高めましょう」

江利香が言い、着衣のまま布団に横になった。文夫も脱がず、彼女のスカートの中に潜り込み、ショーツの股間を指でずらし、割れ目に鼻と口を埋め込んだ。

「あん……」

「匂いが薄くて物足りない」

江利香が喘いだが、文夫はシャワーを浴びたばかりの割れ目を嗅いで、不満そ

うに言った。それでもクリトリスを舐め回すと、

「アア、いい気持ち……」

江利香が熱く喘ぎはじめた。

文夫も着衣のまま江利香の顔に股間を迫らせると彼女がファスナーを下ろし、下着の間から勃起したペニスを引っ張り出し、亀頭にしゃぶり付いてくれた。

互いの内腿を枕にしたシックスナインで、二人は最も感じる部分を舐め合いながら高まっていった。

まだ時間を飛び越える兆しはない。

やがて文夫は身を起こして移動し、添い寝すると彼女に唇を重ねながら、互いの股間を指で探り合った

「ンン……」

舌をからめながら、江利香が熱く呻いて彼の鼻腔を息で湿らせた。

文夫も、生温かな唾液に濡れて滑らかに蠢く舌を味わった。

愛液を付けた指の腹で小刻みにクリトリスを擦ると、彼女も張り詰めた亀頭を微妙なタッチでいじってくれた。

次第に、彼の指の動きに合わせてクチュクチュと湿った音が聞こえてきた。

しかし文夫の方は、ついさっき芙美子を相手に強烈な二回をしたばかりなので、勃起はして気持ちも高まるが暴発の心配だけはなかった。

「アア……、いい気持ちよ……」

江利香が口を離して喘ぎ、自身の高まりにあわせるように、ペニスを探る指の動きを早めてきた。

文夫も、彼女の喘ぐ口に鼻を押し込んで嗅ぎ、熱く湿り気ある、濃厚に甘い花粉臭の刺激を含んだ吐息に酔いしれた。

そしていよいよ、指の愛撫だけで江利香がガクガクとオルガスムスの痙攣を開始したのだった。

「い、いっちゃう……、何これ、身体が浮かぶようだわ、すごくいい……」

江利香が声を上ずらせて言うと、文夫も過去へ飛ぶ感覚を全身に感じていた。

「い、いく、アアーッ……！」

江利香が喘ぐと同時に、文夫も一緒に浮遊感に包まれ、また過去の世界へと飛んでいったのだった……。

初出　「特選小説」２０２３年１月号～２０２３年９月号

実業之日本社文庫 む219

美人母娘の蜜室

2023年12月15日　初版第1刷発行

著　者　睦月影郎

発行者　岩野裕一
発行所　株式会社実業之日本社
〒107-0062　東京都港区南青山6-6-22 emergence 2
電話［編集］03(6809)0473［販売］03(6809)0495
ホームページ　https://www.j-n.co.jp/
ＤＴＰ　ラッシュ
印刷所　大日本印刷株式会社
製本所　大日本印刷株式会社

フォーマットデザイン　鈴木正道（Suzuki Design）

ISBN978-4-408-55858-5（第二文芸）